BERTOLT BRECHT

GEDICHTE
VI

1964
SUHRKAMP VERLAG

BERTOLT BRECHT

Gedichte

1941–1947

Gedichte im Exil

In Sammlungen nicht enthaltene Gedichte

Gedichte und Lieder aus Stücken

1964

SUHRKAMP VERLAG

Florence Homolka

Bertolt Brecht (um 1943)

GEDICHTE IM EXIL

HOLLYWOOD

Jeden Morgen, mein Brot zu verdienen
Gehe ich auf den Markt, wo Lügen gekauft werden.
Hoffnungsvoll
Reihe ich mich ein zwischen die Verkäufer.

DIE MASKE DES BÖSEN

An meiner Wand hängt ein japanisches Holzwerk
Maske eines bösen Dämons, bemalt mit Goldlack.
Mitfühlend sehe ich
Die geschwollenen Stirnadern, andeutend
Wie anstrengend es ist, böse zu sein.

VOM SPRENGEN DES GARTENS

O Sprengen des Gartens, das Grün zu ermutigen!
Wässern der durstigen Bäume! Gib mehr als genug. Und
Vergiß nicht das Strauchwerk, auch
Das beerenlose nicht, das ermattete
Geizige! Und übersieh mir nicht
Zwischen den Blumen das Unkraut, das auch
Durst hat. Noch gieße nur
Den frischen Rasen oder den versengten nur:
Auch den nackten Boden erfrische du.

ZEITUNGLESEN BEIM TEEKOCHEN

Frühmorgens lese ich in der Zeitung von epochalen Plänen
Des Papstes und der Könige, der Bankiers und der Ölbarone.
Mit dem anderen Auge bewach ich
Den Topf mit dem Theewasser
Wie es sich trübt und zu brodeln beginnt und sich wieder
                                        klärt
Und den Topf überflutend das Feuer erstickt.

RÜCKKEHR

Die Vaterstadt, wie find ich sie doch?
Folgend den Bomberschwärmen
Komm ich nach Haus.
Wo denn liegt sie? Wo die ungeheueren
Gebirge von Rauch stehn.
Das in den Feuern dort
Ist sie.

Die Vaterstadt, wie empfängt sie mich wohl?
Vor mir kommen die Bomber. Tödliche Schwärme
Melden euch meine Rückkehr. Feuersbrünste
Gehen dem Sohn voraus.

KÄLBERMARSCH

Hinter der Trommel her
Trotten die Kälber
Das Fell für die Trommel
Liefern sie selber.
    Der Metzger ruft. Die Augen fest geschlossen
    Das Kalb marschiert mit ruhig festem Tritt.
    Die Kälber, deren Blut im Schlachthof schon geflossen
    Sie ziehn im Geist in seinen Reihen mit.

Sie heben die Hände hoch
Sie zeigen sie her
Sie sind schon blutbefleckt
Und sind noch leer.
    Der Metzger ruft. Die Augen fest geschlossen
    Das Kalb marschiert mit ruhig festem Tritt.
    Die Kälber, deren Blut im Schlachthof schon geflossen
    Sie ziehn im Geist in seinen Reihen mit.

Sie tragen ein Kreuz voran
Auf blutroten Flaggen
Das hat für den armen Mann
Einen großen Haken.
    Der Metzger ruft. Die Augen fest geschlossen
    Das Kalb marschiert mit ruhig festem Tritt.
    Die Kälber, deren Blut im Schlachthof schon geflossen
    Sie ziehn im Geist in seinen Reihen mit.

IM ZEICHEN DER SCHILDKRÖTE*

1

Im vierten Jahre aber entstieg der blutigen Flut
Ein kleines Tier, eine Schildkröte
Und sie trug in dem winzigen Rachen
Einen zierlichen Ölzweig.

2

Bald erschien ihr Bild, wie von Kinderhand gezeichnet
An den Wänden der Maschinenhallen
Auf den Asphaltböden der Bomberwerften
In den Werkzeugbänken der Tankfabriken.

3

Und wo die Kleine sich zeigte
Die Ungeschickte, die Langsame
Krochen die Tanks aus den Hallen bresthaft
Hoben die Bomber sich kränklich
Vermehrten die U-Boote sich lustlos zögernd:
Kam die Zeugung der Unfruchtbaren und Tödlichen ins
Stocken.

* Skandinavische Widerstandskämpfer zeichneten während der
Nazi-Besetzung eine Schildkröte auf Züge und Mauern, um zur
Verlangsamung der Arbeit aufzufordern.

Das Wappentier der Unteren kämpfte
Mit dem Wappentier der Oberen.
Der Raubadler des Reichs
Ließ das Nest nur ungern allein:
Die Schildkröte fraß
Die Eier voll des Unheils.

GEZEICHNETE GESCHLECHTER

Lange bevor über uns die Bomber erschienen
Waren unsere Städte schon
Unbewohnbar. Den Unrat
Schwemmte uns keine Kanalisation aus.

Lange bevor wir gefallen in ziellosen Schlachten
Gehend noch durch die Städte, die dann noch standen
Waren schon unsere Frauen
Witwen uns und die Kinder uns Waisen.

Lange bevor uns in Gruben geworfen die selber
                        Gezeichneten
Waren wir freundlos. Das, was der Kalk uns
Wegfraß, waren
Gesichter nicht mehr.

Unter dem befleckten Banner des Viehs
Verteidigend seinen Raub
Kämpfen unsere jungen Söhne wie die Löwen.
Aus den unbewohnbaren Heimstätten
Erheben sich die Bomber zum Angriff.
Immer noch aus ihren brennenden Städten
Fahren die Panzerhorden ans Nordkap.
Die Bauern der Champagne
Hören die schweren Stiefel der Eroberer
Deren Eltern unterm Schutt unserer Städte liegen.

DIE KRÜCKEN

Sieben Jahre wollt kein Schritt mir glücken.
Als ich zu dem großen Arzte kam
Fragte er: Wozu die Krücken?
Und ich sagte: Ich bin lahm.

Sagte er: Das ist kein Wunder.
Sei so freundlich, zu probieren!
Was dich lähmt, ist dieser Plunder.
Geh, fall, kriech auf allen Vieren!

Lachend wie ein Ungeheuer
Nahm er mir die schönen Krücken
Brach sie durch auf meinem Rücken
Warf sie lachend in das Feuer.

Nun, ich bin kuriert: ich gehe.
Mich kurierte ein Gelächter.
Nur zuweilen, wenn ich Hölzer sehe
Gehe ich für Stunden etwas schlechter.

DIE LITERATUR WIRD DURCHFORSCHT WERDEN

Für Martin Andersen Nexö

I

Die auf die goldenen Stühle gesetzt sind, zu schreiben
Werden gefragt werden nach denen, die
Ihnen die Röcke webten.
Nicht nach ihren erhabenen Gedanken
Werden ihre Bücher durchforscht werden, sondern
Irgendein beiläufiger Satz, der schließen läßt
Auf eine Eigenheit derer, die Röcke webten
Wird mit Interesse gelesen werden, denn hier mag es sich
                                    um Züge
Der berühmten Ahnen handeln.

Ganze Literaturen
In erlesenen Ausdrücken verfaßt
Werden durchsucht werden nach Anzeichen
Daß da auch Aufrührer gelebt haben, wo Unterdrückung
                                    war.
Flehentliche Anrufe überirdischer Wesen
Werden beweisen, daß da Irdische über Irdischen gesessen
                                    sind.
Köstliche Musik der Worte wird nur berichten
Daß da für viele kein Essen war.

Aber in jener Zeit werden gepriesen werden
Die auf dem nackten Boden saßen, zu schreiben
Die unter den Niedrigen saßen
Die bei den Kämpfern saßen.

Die von den Leiden der Niedrigen berichteten
Die von den Taten der Kämpfer berichteten
Kunstvoll. In der edlen Sprache
Vordem reserviert
Der Verherrlichung der Könige.

Ihre Beschreibungen der Mißstände und ihre Aufrufe
Werden noch den Daumenabdruck
Der Niedrigen tragen. Denn diesen
Wurden sie übermittelt, diese
Trugen sie weiter unter dem durchschwitzten Hemd
Durch die Kordone der Polizisten
Zu ihresgleichen.

Ja, es wird eine Zeit geben, wo
Diese Klugen und Freundlichen
Zornigen und Hoffnungsvollen
Die auf dem nackten Boden saßen, zu schreiben
Die umringt waren von Niedrigen und Kämpfern
Öffentlich gepriesen werden.

ODE AN EINEN HOHEN WÜRDENTRÄGER

I

Erhabener Vizekonsul, geruhe
Deiner zitternden Laus
Den beglückenden Stempel zu gewähren!

Hoher Geist
Nach dessen Ebenbild die Götter gemacht sind
Erlaube, daß deine unerforschlichen Gedanken
Für eine Sekunde unterbrochen werden!

Viermale
Ist es mir gelungen, bis zu dir vorzudringen.
Einige meiner Worte
Ausgedacht in schlaflosen Nächten
Hoffe ich in deine Nähe gelangt.

Ich habe mir zweimal die Haare geschnitten deinetwegen
Nie
Ging ich zu dir ohne Hut, meine schäbige Mütze
Habe ich vor dir immer versteckt.

Du weißt, deine wenigen Worte
Werden wochenlang ausgelegt von bebenden Familien
Auf finstere Andeutungen oder auch beglückende Winke:
Sind sie deshalb so grausam?

Der große Fallensteller nähert sich.
Da ist eine kleine Tür, aus der Falle
Ins Freie führend. Du
Hast den Schlüssel.
Wirst du ihn hereinwerfen?

II

Keine Angst, kleiner Mann hinter dem Pult!
Deine Oberen
Werden dir schon den Stempel nicht übelnehmen.
In monatelangen Inquisitionen
Hast du den Applikanten durchforscht.
Jedes Haar auf seiner Zunge kennst du.
Nicht einen Buchstaben deiner Vorschriften
Hast du übersehen. Keine Fangfrage
Hast du vergessen, mach jetzt der Qual ein Ende!
Haue das Stempelchen herein, deine Oberen
Werden dich schon nicht auffressen!

HAKENKREUZ UND DOUBLE CROSS*

Hakenkreuz und Double Cross
Traten an zum Kampfe.
Hakenkreuz stand umhüllt vom Rauch
Double Cross vom Dampfe.

Hakenkreuz trat das Volk in den Arsch
Und sprach ein paar passende Worte.
Double Cross murmelte: Seid so frei!
Und gab dem Volk ein Stück Torte.

Double Cross hat an Gott geglaubt
Hakenkreuz schiß auf den Glauben:
Double Cross hatte einmal was geraubt
Das wollte jetzt Hakenkreuz rauben.

Double Cross wütete schlimm genug
Hakenkreuz wütete schlimmer.
Hakenkreuz wollte zehntausend Jahr
Dauern. Double Cross immer.

Hakenkreuz und Double Cross
War'n schreckhaft, es war ein Jammer:
Hakenkreuz konnte keine Sichel sehn
Und Double Cross keinen Hammer.

* »Double Cross«: Doppelkreuz; »to double-cross« (amerik.
Slang): (den Betrüger) betrügen.

In Polen, im Jahr Neununddreißig
War eine blutige Schlacht
Die hatte viel Städte und Dörfer
Zu einer Wildnis gemacht.

Die Schwester verlor den Bruder
Die Frau den Mann im Heer;
Zwischen Feuer und Trümmerstätte
Fand das Kind die Eltern nicht mehr.

Aus Polen ist nichts mehr gekommen
Nicht Brief noch Zeitungsbericht.
Doch in den östlichen Ländern
Läuft eine seltsame Geschicht.

Schnee fiel, als man sich's erzählte
In einer östlichen Stadt
Von einem Kinderkreuzzug
Der in Polen begonnen hat.

Da trippelten Kinder hungernd
In Trüpplein hinab die Chausseen
Und nahmen mit sich andere, die
In zerschossenen Dörfern stehn.

Sie wollten entrinnen den Schlachten
Dem ganzen Nachtmahr
Und eines Tages kommen
In ein Land, wo Frieden war.

Da war ein kleiner Führer
Das hat sie aufgericht'.
Er hatte eine große Sorge:
Den Weg, den wußte er nicht.

Eine Elfjährige schleppte
Ein Kind von vier Jahr
Hatte alles für eine Mutter
Nur nicht ein Land, wo Frieden war.

Ein kleiner Jude marschierte im Trupp
Mit einem samtenen Kragen
Der war das weißeste Brot gewohnt
Und hat sich gut geschlagen.

Und zwei Brüder gingen mit
Die waren große Strategen
Stürmten eine leere Bauernhütt
Und räumten sie nur vor dem Regen.

Und ging ein dünner Grauer mit
Hielt sich abseits in der Landschaft.
Er trug an einer schrecklichen Schuld:
Er kam aus einer Nazigesandtschaft.

Da war unter ihnen ein Musiker
Der fand eine Trommel in einem zerschossenen Dorfladen
Und durfte sie nicht schlagen
Das hätt sie verraten.

Und da war ein Hund
Gefangen zum Schlachten
Mitgenommen als Esser
Weil sie's nicht übers Herz brachten.

Da war auch eine Schule
Und ein kleiner Lehrer für Kalligraphie.
Und ein Schüler an einer zerschossenen Tankwand
Lernte schreiben bis zu Frie . . .

Da war auch ein Konzert.
An einem lauten Winterbach
Durfte einer die Trommel schlagen
Da ward er nicht vernommen, ach.

Da war auch eine Liebe.
Sie war zwölf, er war fünfzehn Jahr.
In einem zerschossenen Hofe
Kämmte sie ihm sein Haar.

Die Liebe konnte nicht bestehen
Es kam zu große Kält:
Wie sollen die Blümchen blühen
Wenn so viel Schnee drauf fällt?

Da war auch ein Krieg
Denn es gab noch eine andre Schar
Und der Krieg ging nur zu Ende
Weil er sinnlos war.

Doch als der Krieg noch raste
Um ein zerschossenes Bahnwärterhaus
Da ging, wie es heißt, der einen Partei
Plötzlich das Essen aus.

Und als die andre Partei das erfuhr
Da schickte sie aus einen Mann
Mit einem Sack Kartoffel, weil
Man ohne Essen nicht kämpfen kann.

Da war auch ein Gericht
Und brannten zwei Kerzenlichter
Und war ein peinliches Verhör.
Verurteilt wurde der Richter.

Da war auch ein Begräbnis
Eines Jungen mit samtenem Kragen
Der wurde von zwei Deutschen
Und zwei Polen zu Grab getragen.

Protestant, Katholik und Nazi war da
Ihn der Erde einzuhändigen.
Und zum Schluß sprach ein kleiner Kommunist
Von der Zukunft der Lebendigen.

So gab es Glaube und Hoffnung
Nur nicht Fleisch und Brot.
Und keiner schelt sie mir, wenn sie was stahl'n
Der ihnen nicht Obdach bot.

Und keiner schelt mir den armen Mann
Der sie nicht zu Tische lud:
Für ein halbes Hundert, da braucht es
Mehl, nicht Opfermut.

Findet man zwei oder sogar drei
Tut man gern was dafür
Aber wenn es so viele sind
Schließt man seine Tür.

In einem zerschossenen Bauernhof
Haben sie Mehl gefunden.
Eine Elfjährige band sich eine Schürze um
Und backte sieben Stunden.

Der Teig war gut gerühret
Das Feuerholz gut gehackt
Das Brot ist nicht aufgegangen
Sie wußten nicht, wie man Brot backt.

Sie zogen vornehmlich nach Süden.
Süden ist, wo die Sonn
Mittags um zwölf steht
Gradaus davon.

Sie fanden zwar einen Soldaten
Verwundet im Tannengries.
Sie pflegten ihn sieben Tage
Damit er den Weg ihnen wies.

Er sagte ihnen: Nach Bilgoray!
Muß stark gefiebert haben
Und starb ihnen weg am achten Tag.
Sie haben auch ihn begraben.

Und da gab es ja Wegweiser
Wenn auch vom Schnee verweht
Nur zeigten sie nicht mehr die Richtung an
Sondern waren umgedreht.

Das war nicht etwa ein schlechter Spaß
Sondern aus militärischen Gründen.
Und als sie suchten nach Bilgoray
Konnten sie es nicht finden.

Sie standen um ihren Führer.
Der sah in die Schneeluft hinein
Und deutete mit der kleinen Hand
Und sagte: Es muß dort sein.

Einmal, nachts, sahen sie ein Feuer
Da gingen sie nicht hin.
Einmal rollten drei Tanks vorbei
Da waren Menschen drin.

Einmal kamen sie an eine Stadt
Da machten sie einen Bogen.
Bis sie daran vorüber waren
Sind sie nur nachts weitergezogen.

Wo einst das südöstliche Polen war
Bei starken Schneewehn
Hat man die fünfundfünfzig
Zuletzt gesehn.

Wenn ich die Augen schließe
Seh ich sie wandern
Von einem zerschossenen Bauerngehöft
Zu einem zerschossenen andern.

Über ihnen, in den Wolken oben
Seh ich andre Züge, neue, große!
Mühsam wandern gegen kalte Winde
Heimatlose, Richtungslose

Suchend nach dem Land mit Frieden
Ohne Donner, ohne Feuer
Nicht wie das, aus dem sie kamen
Und der Zug wird ungeheuer.

Und er scheint mir durch den Dämmer
Bald schon gar nicht mehr derselbe:
Andere Gesichtlein seh ich
Spanische, französische, gelbe!

In Polen, in jenem Januar
Wurde ein Hund gefangen
Der hatte um seinen mageren Hals
Eine Tafel aus Pappe hangen.

Darauf stand: Bitte um Hilfe!
Wir wissen den Weg nicht mehr.
Wir sind fünfundfünfzig
Der Hund führt euch her.

Wenn ihr nicht kommen könnt
Jagt ihn weg.
Schießt nicht auf ihn
Nur er weiß den Fleck.

Die Schrift war eine Kinderhand.
Bauern haben sie gelesen.
Seitdem sind eineinhalb Jahre um.
Der Hund ist verhungert gewesen.

DIE LANDSCHAFT DES EXILS

Aber auch ich auf dem letzten Boot
Sah noch den Frohsinn des Frührots im Takelzeug
Und der Delphine graulichte Leiber, tauchend
Aus der Japanischen See.
Und die Pferdewäglein mit dem Goldbeschlag
Und die rosa Armschleier der Matronen
In den Gassen des gezeichneten Manila
Sah auch der Flüchtling mit Freude.
Die Öltürme und dürstenden Gärten von Los Angeles
Und die abendlichen Schluchten Kaliforniens und die
                                    Obstmärkte
Ließen auch den Boten des Unglücks
Nicht kalt.

AN DIE DEUTSCHEN SOLDATEN IM OSTEN

I

Brüder, wenn ich bei euch wäre
Auf den östlichen Schneefeldern einer von euch wäre
Einer von euch Tausenden zwischen den Eisenkärren
Würde ich sagen, wie ihr sagt: Sicher
Muß da ein Weg nach Haus sein.

Aber, Brüder, liebe Brüder
Unter dem Stahlhelm, unter der Hirnschale
Würde ich wissen, was ihr wißt: Da
Ist kein Weg nach Haus mehr.

Auf der Landkarte im Schulatlas
Ist der Weg nach Smolensk nicht größer
Als der kleine Finger des Führers, aber
Auf den Schneefeldern ist er weiter
Sehr weit, zu weit.

Der Schnee hält nicht ewig, nur bis zum Frühjahr.
Aber auch der Mensch hält nicht ewig. Bis zum Frühjahr
Hält er nicht.

Also muß ich sterben, das weiß ich.
Im Rock des Räubers muß ich sterben
Sterben im Hemd des Mordbrenners.

Als einer der vielen, als einer der Tausende
Gejagt als Räuber, erschlagen als Mordbrenner.

2

Brüder, wenn ich bei euch wäre
Mit euch trottete über die Eiswüsten
Würde ich fragen, wie ihr fragt: Warum
Bin ich hierhergekommen, von wo
Kein Weg mehr nach Haus führt?

Warum habe ich den Rock des Räubers angezogen?
Warum habe ich das Hemd des Mordbrenners angezogen?
Das war doch nicht aus Hunger
Das war doch aus Mordlust nicht.

Nur weil ich ein Knecht war
Und es mir geheißen wurd
Bin ich ausgezogen zu morden und zu brennen
Und muß jetzt gejagt werden
Und muß jetzt erschlagen werden.

3

Weil ich eingebrochen bin
In das friedliche Land der Bauern und Arbeiter
Der großen Ordnung, des unaufhörlichen Aufbaus
Niedertrampelnd und niederfahrend Saat und Gehöfte
Auszurauben die Werkstätten, die Mühlen und Dammbauten
Abzubrechen den Unterricht der tausend Schulen
Aufzustören die Sitzungen der unermüdlichen Räte:

Darum muß ich jetzt sterben wie eine Ratte
Die der Bauer ertappt hat.

Daß von mir gereinigt werde
Das Gesicht der Erde
Von mir Aussatz! Daß ein Exempel statuiert werde
An mir für alle Zeiten, wie verfahren werden soll
Mit Räubern und Mordbrennern
Und den Knechten von Räubern und Mordbrennern.

5

Daß da Mütter sagen, sie haben keine Kinder.
Daß da Kinder sagen, sie haben keine Väter.
Daß da Erdhügel sind, die keine Auskünfte geben.

6

Und ich werde nicht mehr sehen
Das Land, aus dem ich gekommen bin
Nicht die bayrischen Wälder, noch das Gebirge im Süden
Nicht das Meer, nicht die märkische Heide, die Föhre nicht
Noch den Weinhügel am Fluß im Frankenland.
Nicht in der grauen Frühe, nicht am Mittag
Und nicht, wenn der Abend herabsteigt.

Noch die Städte und die Stadt, wo ich geboren bin.
Nicht die Werkbänke, und auch die Stube nicht mehr
Und den Stuhl nicht.

All das werde ich nie mehr sehen.
Und keiner, der mit mir ging
Wird das alles noch einmal sehen.
Und ich nicht und du nicht
Werden die Stimme der Frauen und Mütter hören
Oder den Wind über dem Schornstein der Heimat
Oder den fröhlichen Lärm der Stadt oder den bitteren.

7

Sondern ich werde sterben in der Mitte der Jahre
Ungeliebt, unvermißt
Eines Kriegsgeräts törichter Fahrer.

Unbelehrt, außer durch die letzte Stunde
Unerprobt, außer beim Morden
Nicht vermißt, außer von den Schlächtern.

Und ich werde unter der Erde liegen
Die ich zerstört habe
Ein Schädling, um den es nicht schad ist.
Ein Aufatmen wird an meiner Grube sein.

Denn was wird da eingescharrt?
Ein Zentner Fleisch in einem Tank, das bald faul wurde.
Was kommt da weg?
Ein dürrer Strauch, der erfroren ist
Ein Dreck, der weggeschaufelt wurde
Ein Gestank, den der Wind wegwehte.

Brüder, wenn ich jetzt bei euch wäre
Auf dem Weg zurück nach Smolensk
Von Smolensk zurück nach nirgendwohin

Würde ich fühlen, was ihr fühlt: immer schon
Habe ich es gewußt unter dem Stahlhelm, unter der
                                        Hirnschale
Daß schlecht nicht gut ist
Daß zwei mal zwei vier ist
Und daß sterben wird, wer mit ihm ging
Dem blutigen Brüllenden
Dem blutigen Dummkopf.

Der nicht wußte, daß der Weg nach Moskau lang ist
Sehr lang, zu lang.
Daß der Winter in den östlichen Ländern kalt ist
Sehr kalt, zu kalt.
Daß die Bauern und Arbeiter des neuen Staates
Ihre Erde und ihre Städte verteidigen würden
So daß wir alle vertilgt werden.

Vor den Wäldern, hinter den Kanonen
In den Straßen und in den Häusern
Unter den Tanks, am Straßenrand
Durch die Männer, durch die Weiber, durch die Kinder
In der Kälte, in der Nacht, im Hunger

Daß wir alle vertilgt werden
Heute oder morgen oder am nächsten Tag
Ich und du und der General, alles
Was hier gekommen ist, zu verwüsten
Was von Menschenhand errichtet wurde.

10

Weil es eine solche Mühe ist, die Erde zu bebauen
Weil es soviel Schweiß kostet, ein Haus aufzustellen
Die Balken zu fällen, den Plan zu zeichnen
Die Mauer aufzuschichten, das Dach zu decken.
Weil es so müde machte, weil die Hoffnung so groß war.

11

Tausend Jahre war da nur ein Gelächter
Wenn die Werke von Menschenhand angetastet wurden.
Aber jetzt wird es sich herumsprechen auf allen
                              Kontinenten:
Der Fuß, der die Felder der neuen Traktorenfahrer zertrat
Ist verdorrt.
Die Hand, die sich gegen die Werke der neuen Städtebauer
                              erhob
Ist abgehauen.

Und was bekam des Soldaten Weib
Aus der alten Hauptstadt Prag?
Aus Prag bekam sie die Stöckelschuh.
Einen Gruß und dazu die Stöckelschuh
Das bekam sie aus der Stadt Prag.

Und was bekam des Soldaten Weib
Aus Warschau am Weichselstrand?
Aus Warschau bekam sie das leinene Hemd
So bunt und so fremd, ein polnisches Hemd!
Das bekam sie vom Weichselstrand.

Und was bekam des Soldaten Weib
Aus Oslo über dem Sund?
Aus Oslo bekam sie das Kräglein aus Pelz.
Hoffentlich gefällt's, das Kräglein aus Pelz!
Das bekam sie aus Oslo am Sund.

Und was bekam des Soldaten Weib
Aus dem reichen Rotterdam?
Aus Rotterdam bekam sie den Hut.
Und er steht ihr gut, der holländische Hut.
Den bekam sie aus Rotterdam.

Und was bekam des Soldaten Weib
Aus Brüssel im belgischen Land?
Aus Brüssel bekam sie die seltenen Spitzen.

Ach, das zu besitzen, so seltene Spitzen!
Sie bekam sie aus belgischem Land.

Und was bekam des Soldaten Weib
Aus der Lichterstadt Paris?
Aus Paris bekam sie das seidene Kleid.
Zu der Nachbarin Neid das seidene Kleid
Das bekam sie aus Paris.

Und was bekam des Soldaten Weib
Aus dem libyschen Tripolis?
Aus Tripolis bekam sie das Kettchen.
Das Amulettchen am kupfernen Kettchen
Das bekam sie aus Tripolis.

Und was bekam des Soldaten Weib
Aus dem weiten Russenland?
Aus Rußland bekam sie den Witwenschleier.
Zu der Totenfeier den Witwenschleier
Das bekam sie aus Rußland.

DEUTSCHLAND

In Sturmesnacht, in dunkler Nacht
Ist ein Reis erblühet
In Ängsten bin ich aufgewacht
Und fand das Reis erblühet.

Der Hitlerspuk, der blutige Spuk
Wird auch cinst sein verwehet:
»Die Hitlers kommen und gehen
Das deutsche Volk bestehet.«

Der Hitler wird verjaget sein
Wenn wir uns nur bemühen.
Und unser liebes Deutschland
Wird wieder blühen.

Eines schönen Tages befahlen uns unsere Obern
Die kleine Stadt Danzig für sie zu erobern.
Wir sind mit Tanks und Bombern in Polen eingebrochen
Wir eroberten es in drei Wochen.
Gott bewahr uns.

Eines schönen Tages befahlen uns unsere Obern
Norwegen und Frankreich für sie zu erobern.
Wir sind in Norwegen und Frankreich eingebrochen
Und haben alles erobert im zweiten Jahr in fünf Wochen.
Gott bewahr uns.

Eines schönen Tages befahlen uns unsere Obern
Serbien, Griechenland und Rußland für sie zu erobern.
Wir sind in Serbien, Griechenland, Rußland eingefahren
Und kämpfen jetzt um unser nacktes Leben seit zwei langen
                                    Jahren.
Gott bewahr uns.

Eines schönen Tages befehlen uns noch unsere Obern
Den Boden der Tiefsee und die Gebirge des Mondes zu
                                    erobern.
Und es ist schwer schon mit diesem Russenland
Und der Feind stark und der Winter kalt und der Heimweg
                                    unbekannt.
Gott bewahr uns und führ uns wieder nach Haus.

AURORA

Aurora, du auf dem geliebten Fluß
In den man nicht, den gleichen, zweimal taucht:
Erschauernd unter deinem erzlippigen Kuß
Erhob die große Magd sich einst erlaucht.

Die große, nun erlauchte Magd ging lachend
Heim in ihr Dorf, und sie erzählte da
Wie sie aus unruhigem Schlaf erwachend
Den Fluß herauf dies Frührot schwimmen sah.

Dies Frührot kam, so sagte sie den Leuten
Als es noch Nacht war: es war so geschwind!
Und seine schöne Farbe anzudeuten
Nahm sie ihr rotes Kopftuch ab und schwenkte es im Wind.

In seinen Tagebüchern der Kriegszeit
Erwähnt der Dichter Gide einen riesigen Platanenbaum
Den er bewundert – lange – wegen seines enormen Rumpfes
Seiner mächtigen Verzweigung und seines Gleichgewichts
Bewirkt durch die Schwere seiner wichtigsten Äste.

Im fernen Kalifornien
Lese ich kopfschüttelnd diese Notiz.
Die Völker verbluten. Kein natürlicher Plan
Sieht ein glückliches Gleichgewicht vor.

BEI DER NACHRICHT VON DER ERKRANKUNG EINES MÄCHTIGEN STAATSMANNS

Wenn der unentbehrliche Mann die Stirn runzelt
Wanken zwei Weltreiche.
Wenn der unentbehrliche Mann stirbt
Schaut die Welt sich um wie eine Mutter, die keine Milch
für ihr Kind hat.
Wenn der unentbehrliche Mann eine Woche nach seinem
Tod zurückkehrte
Fände man im ganzen Reich für ihn nicht mehr die Stelle
eines Portiers.

Ich weiß natürlich: einzig durch Glück
Habe ich so viele Freunde überlebt. Aber heute nacht im
                          Traum
Hörte ich diese Freunde von mir sagen: »Die Stärkeren
                          überleben«
Und ich haßte mich.

IN SAMMLUNGEN
NICHT ENTHALTENE GEDICHTE

DER TAIFUN

Auf der Flucht vor dem Anstreicher nach den Staaten
Merkten wir plötzlich, daß unser kleines Schiff stillag.
Eine ganze Nacht und einen ganzen Tag
Lag es auf der Höhe von Luzon im Chinesischen Meer.
Einige sagten, eines Taifuns wegen, der im Norden tobte
Andere befürchteten deutsche Piratenschiffe.
Alle
Zogen den Taifun den Deutschen vor.

NACH DEM TOD MEINER MITARBEITERIN M. S.

I

Im neunten Jahre der Flucht vor Hitler
Erschöpft von den Reisen
Der Kälte und dem Hunger des winterlichen Finnland
Und dem Warten auf den Paß in einen andern Kontinent
Starb unsere Genossin Steffin
In der roten Stadt Moskau.

II

Mein General ist gefallen
Mein Soldat ist gefallen

Mein Schüler ist weggegangen
Mein Lehrer ist weggegangen

Mein Pfleger ist weg
Mein Pflegling ist weg.

III

Als es so weit war und der nicht unerbittliche Tod
Achselzuckend mir die fünf zerstörten Lappen der Lunge
zeigte
Außerstande, ihr zuzumuten ein Leben nur mit dem sechsten

Schleppte ich zusammen noch schnell 500 Aufträge
Dinge, zu erledigen sofort und morgen, im nächsten Jahr
Und in sieben Jahren von jetzt an
Stellte unzählige Fragen, entscheidende, nur durch sie
Beantwortbare
Und so beansprucht
Starb sie leichter.

IV

Eingedenk meiner kleinen Lehrmeisterin
Ihrer Augen, des blauen zornigen Feuers
Und ihrer gebrauchten Kutte mit der breiten Kapuze
Und dem breiten unteren Saum, taufte ich
Den Orion am Himmel das Steffinische Sternbild.
Aufblickend und es kopfschüttelnd betrachtend
Höre ich mitunter ein schwaches Husten.

V

DIE TRÜMMER

Da ist noch die Holzschachtel für die Zettel beim Stückebau
Da sind die bayrischen Messer, da ist das Stehpult noch
Da ist die Wandtafel, da sind die Masken
Da ist der kleine Sender und der Soldatenkoffer
Da ist die Antwort, aber kein Frager ist da
Hoch über dem Garten
Steht das Steffinische Gestirn.

VI

NACH DEM TOD
MEINER MITARBEITERIN M. S.

Seit du gestorben bist, kleine Lehrerin
Gehe ich blicklos herum, ruhelos
In einer grauen Welt staunend
Ohne Beschäftigung wie ein Entlassener.

Verboten
Ist mir der Zutritt zur Werkstatt, wie
Allen Fremden.

Die Straßen sehe ich und die Anlagen
Nunmehr zu ungewohnten Tageszeiten, so
Kenne ich sie kaum wieder.

Heim
Kann ich nicht gehen: ich schäme mich
Daß ich entlassen bin und
Im Unglück.

AN WALTER BENJAMIN, DER SICH AUF DER FLUCHT VOR HITLER ENTLEIBTE

Ermattungstaktik war's, was dir behagte
Am Schachtisch sitzend in des Birnbaums Schatten.
Der Feind, der dich von deinen Büchern jagte
Läßt sich von unsereinem nicht ermatten.

Ich höre, daß du die Hand gegen dich erhoben hast
Dem Schlächter zuvorkommend.
Acht Jahre verbannt, den Aufstieg des Feindes beobachtend
Zuletzt an eine unüberschreitbare Grenze getrieben
Hast du, heißt es, eine überschreitbare überschritten.

Reiche stürzen. Die Bandenführer
Schreiten daher wie Staatsmänner. Die Völker
Sieht man nicht mehr unter den Rüstungen.

So liegt die Zukunft in Finsternis, und die guten Kräfte
Sind schwach. All das sahst du
Als du den quälbaren Leib zerstörtest.

DIE VERLUSTLISTE

Flüchtend vom sinkenden Schiff, besteigend ein sinkendes –
Noch ist in Sicht kein neues – notiere ich
Auf einen kleinen Zettel die Namen derer
Die nicht mehr um mich sind.
Kleine Lehrerin aus der Arbeiterschaft
Margarete Steffin. Mitten im Lehrkurs
Erschöpft von der Flucht
Hinsiechte und starb die Weise.
So auch verließ mich der Widersprecher
Vieles wissende, Neues suchende
Walter Benjamin. An der unübertretbaren Grenze
Müde der Verfolgung, legte er sich nieder.
Nicht mehr aus dem Schlaf erwachte er.
Und der Stetige, des Lebens Freudige
Karl Koch, Meister im Disput
Merzte sich aus in dem stinkenden Rom, betrügend
Die eindringende SS.
Und nichts höre ich mehr von
Caspar Neher, dem Maler. Könnte ich doch
                              wenigstens ihn
Streichen von dieser Liste!

Diese holte der Tod. Andere
Gingen weg von mir für des Lebens Notdurft
Oder Luxus.

Nachdenkend, wie ich höre, über die Hölle
Fand mein Bruder Shelley, sie sei ein Ort
Gleichend ungefähr der Stadt London. Ich
Der ich nicht in London lebe, sondern in Los Angeles
Finde, nachdenkend über die Hölle, sie muß
Noch mehr Los Angeles gleichen.

Auch in der Hölle
Gibt es, ich zweifle nicht, diese üppigen Gärten
Mit den Blumen, so groß wie Bäume, freilich verwelkend
Ohne Aufschub, wenn nicht gewässert mit sehr teurem
                        Wasser. Und Obstmärkte
Mit ganzen Haufen von Früchten, die allerdings
Weder riechen noch schmecken. Und endlose Züge von
                        Autos
Leichter als ihr eigener Schatten, schneller als
Törichte Gedanken, schimmernde Fahrzeuge, in denen
Rosige Leute, von nirgendher kommend, nirgendhin fahren.
Und Häuser, für Glückliche gebaut, daher leerstehend
Auch wenn bewohnt.

Auch die Häuser in der Hölle sind nicht alle häßlich.
Aber die Sorge, auf die Straße geworfen zu werden
Verzehrt die Bewohner der Villen nicht weniger als
Die Bewohner der Baracken.

SONETT IN DER EMIGRATION

Verjagt aus meinem Land muß ich nun sehn
Wie ich zu einem neuen Laden komme, einer Schenke
Wo ich verkaufen kann das, was ich denke.
Die alten Wege muß ich wieder gehn

Die glatt geschliffenen durch den Tritt der Hoffnungslosen!
Schon gehend, weiß ich jetzt noch nicht: zu wem?
Wohin ich komme hör' ich: Spell your name!
Ach, dieser »name« gehörte zu den großen!

Ich muß noch froh sein, wenn sie ihn nicht kennen
Wie einer, hinter dem ein Steckbrief läuft
Sie würden kaum auf meine Dienste brennen.

Ich hatt' zu tun mit solchen schon wie ihnen
Wohl möglich, daß sich der Verdacht da häuft
Ich möcht auch sie nicht allzu gut bedienen.

ANGESICHTS DER ZUSTÄNDE
IN DIESER STADT

Angesichts der Zustände in dieser Stadt
Handle ich so:
Wenn ich eintrete, sage ich meinen Namen und zeige
Die Papiere, die ihn belegen mit Stempeln, die
Nicht gefälscht sein können.
Wenn ich etwas sage, führe ich Zeugen an, für deren
                                    Glaubwürdigkeit
Ich Belege habe.
Wenn ich schweige, gebe ich meinem Gesicht
Einen Ausdruck der Leere, damit man sieht:
Ich denke nicht nach.
So
Erlaube ich niemandem, mir zu glauben. Jedes Vertrauen
Lehne ich ab.

Dies tue ich, weil ich weiß: der Zustand dieser Stadt
Macht zu glauben unmöglich.

Dennoch geschieht es mitunter –
Ich bin zerstreut oder beschäftigt –
Daß ich überrumpelt werde und gefragt
Ob ich kein Schwindler bin, nicht gelogen habe, nichts
Bestimmtes im Schilde führe.
Und ich
Werde immer noch verwirrt, rede unsicher und verschweige
Alles, was für mich spricht, sondern
Schäme mich.

DAS WILL ICH IHNEN SAGEN

Ich fragte mich: warum reden mit ihnen?
Sie kaufen das Wissen ein, um es zu verkaufen.
Sie wollen hören, wo es billiges Wissen gibt
Das man teuer verkaufen kann. Warum
Sollten sie wissen wollen, was
Gegen Kauf und Verkauf spricht?

Sie wollen siegen
Gegen den Sieg wollen sie nichts wissen.
Sie wollen nicht unterdrückt werden
Sie wollen unterdrücken.
Sie wollen nicht den Fortschritt
Sie wollen den Vorsprung.

Sie sind jedem gehorsam
Der ihnen verspricht, daß sie befehlen können.
Sie opfern sich dafür
Daß der Opferstein stehen bleibt.

Was soll ich ihnen sagen, dachte ich. Das
Will ich ihnen sagen, beschloß ich.

LIEFERE DIE WARE!

Immer wieder
Wenn ich durch ihre Städte laufe
Einen Unterhalt suchend, wird mir gesagt:
Zeige, was in dir ist
Auf den Tisch damit!
Liefere die Ware!

Sage etwas, was uns begeistert!
Erzähle uns von unserer Größe!
Errate unsere geheimen Wünsche!
Zeige uns den Ausweg
Mach dich nützlich!
Liefere die Ware!

Stelle dich zu uns, damit
Du uns überragst
Zeige dich als einer von uns, wir
Werden dich den Besten nennen.
Wir können bezahlen, wir haben die Mittel
Niemand außer uns kann es
Liefere die Ware!

Wisse, unsere großen Zeiger
Sind die zeigen, was wir gezeigt haben wollen.
Herrsche, indem du uns bedienst!
Daure, indem du uns Dauer verschaffst!
Spiele unser Spiel mit, wir teilen die Beute!

Liefere die Ware! Sei ehrlich mit uns!
Liefere die Ware!

Wenn ich in ihre verfaulenden Gesichter sehe
Vergeht mir der Hunger.

I

Das Dorf Hollywood ist entworfen nach den Vorstellungen
Die man hierorts vom Himmel hat. Hierorts
Hat man ausgerechnet, daß Gott
Himmel und Hölle benötigend, nicht zwei
Etablissements zu entwerfen brauchte, sondern
Nur ein einziges, nämlich den Himmel. Dieser
Dient für die Unbemittelten, Erfolglosen
Als Hölle.

II

Am Meer stehen die Öltürme. In den Schluchten
Bleichen die Gebeine der Goldwäscher. Ihre Söhne
Haben die Traumfabriken von Hollywood gebaut.
Die vier Städte
Sind erfüllt von dem Ölgeruch
Der Filme.

III

Die Stadt ist nach den Engeln genannt
Und man begegnet allenthalben Engeln.
Sie riechen nach Öl und tragen goldene Pessare
Und mit blauen Ringen um die Augen
Füttern sie allmorgendlich die Schreiber in ihren
                              Schwimmpfühlen.

IV

Unter den grünen Pfefferbäumen
Gehen die Musiker auf den Strich, zwei und zwei
Mit den Schreibern. Bach
Hat ein Strichquartett im Täschchen. Dante schwenkt
Den dürren Hintern.

V

Die Engel von Los Angeles
Sind müde vom Lächeln. Am Abend
Kaufen sie hinter den Obstmärkten
Verzweifelt kleine Fläschchen
Mit Geschlechtsgeruch.

VI

Über den vier Städten kreisen die Jagdflieger
Der Verteidigung in großer Höhe
Damit der Gestank der Gier und des Elends
Nicht bis zu ihnen heraufdringt.

ÜBERALL FREUNDE

Die finnischen Arbeiter
Gaben ihm Betten und einen Schreibtisch
Die Schriftsteller der Sowjetunion brachten ihn aufs Schiff
Und ein jüdischer Wäscher in Los Angeles
Schickte ihm einen Anzug: der Feind der Schlächter
Fand Freunde.

SOMMER 1942

Tag für Tag
Sehe ich die Feigenbäume im Garten
Die rosigen Gesichter der Händler, die Lügen kaufen
Die Schachfiguren auf dem Tisch in der Ecke
Und die Zeitungen mit den Nachrichten
Von den Blutbädern in der Union.

Sah verjagt aus sieben Ländern
Sie die alte Narrheit treiben:
Jene lob ich, die sich ändern
Und dadurch sie selber bleiben.

Von jenem Lande, dessen Boden zu betreten
Man uns verwehrt (man kann uns nicht verwehren
In seiner Sprache heute noch zu reden)
Sprichst du wie der, den Lieb und Haß verzehren
Weil beir Geliebten ihn durch abgefeimte Künste
Ein Nebenbuhler listig ausgestochen.
Der Lippen Fülle denkt er und der Achselhöhlen Dünste
Vergißt er nicht, die er vor Jahr und Tag gerochen.

Seh ich dich so in vielerlei Gedichten
Zu längst zerstörten Häusern Steine schichten
Und mühsam neu bau'n abgetragene Örter
Dann fürcht ich, du vergißt, daß deine Hand
Nach einem Bild greift, nicht nach einem Land
Dein Fuß nicht Boden da betritt, nur Wörter.

ANTWORT DES DIALEKTIKERS, ALS IHM
VORGEWORFEN WURDE, SEINE VORAUS-
SAGE DER NIEDERLAGE DER HITLERHEERE
IM OSTEN SEI NICHT EINGETROFFEN

In den Jahrzehnten vor der Sintflut
Kamen kleinere Fluten. In unregelmäßigen Abständen
In unterschiedlichem Ausmaß
Kamen Wasser über die Küsten. In gewissen Gegenden
Gewöhnten die Menschen sich so an die Überschwemmungen
Daß sie in großen Barken wohnten, auch auf dem Trockenen.
Die Wasserbaukunst entwickelte sich. Niemals vorher
Konnten so gewaltige Dämme gebaut werden wie in der Zeit
Vor der Sintflut. In einem bestimmten Jahr
Galt die Gefahr vor den Fluten als endgültig überwunden.
Im nächsten
Kam die Sintflut. Sie ersäufte
Alle Dämme und alle Dammbauer.

LIED EINER DEUTSCHEN MUTTER

Mein Sohn, ich hab dir die Stiefel
Und dies braune Hemd geschenkt:
Hätt ich gewußt, was ich heut weiß
Hätt ich lieber mich aufgehängt.

Mein Sohn, als ich deine Hand sah
Erhoben zum Hitlergruß
Wußt ich nicht, daß dem, der ihn grüßet
Die Hand verdorren muß.

Mein Sohn, ich hörte dich reden
Von einem Heldengeschlecht
Wußte nicht, ahnte nicht, sah nicht:
Du warst ihr Folterknecht.

Mein Sohn, und ich sah dich marschieren
Hinter dem Hitler her
Wußte nicht, daß, wer mit ihm auszieht
Zurück kehrt er nimmermehr.

Mein Sohn, du sagtest mir, Deutschland
Wird nicht mehr zu kennen sein.
Wußt nicht, es würde werden
Zu Aschen und blut'gem Stein.

Sah das braune Hemd dich tragen
Hab mich nicht dagegen gestemmt
Denn ich wußte nicht, was ich heut weiß:
Es war dein Totenhemd.

DIE SCHANDE

Als ich bestohlen wurde in Los Angeles, der Stadt
Käuflicher Träume, merkte ich
Wie ich den Diebstahl, ausgeführt von einem Flüchtling
Gleich mir selber und einem Leser
All meiner Gedichte, sorglich geheimhielt
So als fürchtete ich, die Schande
Könne bekannt werden, sagen wir, bei der Tierwelt.

BERICHT DER SERBEN

Um deine Nachbarn zu überfallen
Brauchst du Öl, Räuber.
Wir aber hausen an der Straße
Die zum Öl führt.

Deine Nase aus dem Tank hebend
Nach Öl zu schnüffeln
Hast du unser kleines Land gesehen.

Du hast unsere Oberen zu dir befohlen.
Nach einem Feilschen von zwei Stunden
Haben sie uns an dich verkauft
Für eine Nähmaschine und das Trinkgeld.
Aber als sie zurückkamen
Haben wir sie ins Gefängnis geworfen.

Eines Morgens hörten wir ein Dröhnen über uns
Der Himmel war schwarz von deinen Flugzeugen
Das Dröhnen war so stark
Daß wir uns nicht hörten, als wir voneinander Abschied
                                    nahmen.

Dann kamen deine Bomben und die Löcher im Boden
Waren größer als unsere Häuser gewesen waren.
Unsere Frauen und unsere Kinder
Liefen weg, aber deine Flugzeuge
Kamen herunter aus der Luft und jagten ihnen nach
Und mähten sie nieder, den ganzen Tag lang.

Unser ganzes Land
Mit seinen Gebirgen und seinen Flüssen
Nahmst du in dein Maul auf einmal
Und die Berge stachen dir aus der Backenhaut
Und die Flüsse liefen dir aus dem Maul
Aber dann zermalmtest du es mit deinen Raubtierzähnen.

Die Panzergrenadiere nehmen das
Telefongebäude zum dritten Mal.
Der Mut ist ungeheuer. Das Gemetzel ist riesig.
Größer
Ist der Mut dessen, der dem Befehl
Widersteht.

DIE NEUEN ZEITALTER

Die neuen Zeitalter beginnen nicht auf einmal.
Mein Großvater lebte schon in der neuen Zeit
Mein Enkel wird wohl noch in der alten leben.

Das neue Fleisch wird mit den alten Gabeln gegessen.

Die selbstfahrenden Fahrzeuge waren es nicht
Noch die Tanks
Die Flugzeuge über unsern Dächern waren es nicht
Noch die Bomber.

Von den neuen Antennen kamen die alten Dummheiten.
Die Weisheit wurde von Mund zu Mund weitergegeben.

DER DEMOKRATISCHE RICHTER*
(DAS BÜRGERSCHAFTSEXAMEN)

In Los Angeles vor den Richter, der die Leute examiniert
Die sich bemühen, Bürger der Vereinigten Staaten zu werden
Kam auch ein italienischer Gastwirt. Nach ernsthafter
                              Vorbereitung
Leider behindert durch seine Unkenntnis der neuen Sprache
Antwortete er im Examen auf die Frage:
Was bedeutet das 8. Amendment? zögernd:
1492.
Da das Gesetz die Kenntnis der Landessprache dem
                              Bewerber vorschreibt
Wurde er abgewiesen. Wiederkommend
Nach drei Monaten, verbracht mit weiteren Studien
Freilich immer noch behindert durch die Unkenntnis der
                              neuen Sprache
Bekam er diesmal die Frage vorgelegt: Wer
War der General, der im Bürgerkrieg siegte? Seine Antwort
                              war:
1492. (Laut und freundlich erteilt.) Wieder weggeschickt
Und ein drittes Mal wiederkommend, beantwortete er
Eine dritte Frage: Für wieviele Jahre wird der Präsident
                              gewählt?

* Ausländer, die Bürger der USA werden wollen, müssen u. a.
in einem Examen einige Kenntnisse der Verfassung und ihrer
Zusätze (Amendments) sowie der englischen Sprache aufweisen.
Während des zweiten Weltkrieges bewarben sich besonders viele
Ausländer um die Bürgerschaft, die schon jahrzehntelang in den
USA gelebt hatten.

Wieder mit: 1492. Nun
Erkannte der Richter, dem der Mann gefiel, daß er die neue
Sprache
Nicht lernen konnte, erkundigte sich
Wie er lebte, und erfuhr: schwer arbeitend. Und so
Legte ihm der Richter beim vierten Erscheinen die Frage
vor:
Wann
Wurde Amerika entdeckt: Und auf Grund seiner richtigen
Antwort
1492 erhielt er die Bürgerschaft.

IMMER WIEDER*

Immer wieder in dem Gemetzel
Steht ein Mensch da und reißt sich vom Hemde
Die Streifen, zu verbinden den Mitmensch.

An der Küste, von ihren Heimen
Ziehen die Gelben in die kahlen Lager.
Von der Menge am Straßenrand
Kommt ein Ruf: Kopf hoch!
Es dauert nicht ewig!

Den Verwüstern ihrer Hütten
Gefangen in der Winterschlacht
Reichen die Sowjetbäuerinnen Brotlaibe:
Nehmt, Unglückliche!

Die Schlächter toben.
Ihre Opfer sagen von ihnen:
Es ist schade um sie.

Der Fremde wird gespeist.
Der Neue wird beraten.
Der Niedergeworfene wird aufgerichtet.

Immer wieder
Auch in dieser Zeit.

* Bald nach Ausbruch des Krieges zwischen den USA und Japan
(Dez. 1941) wurden zahlreiche der an der Westküste der USA
ansässigen Japaner, vor allem Fischer, Farmer und Gärtner, von
ihren Heimstätten vertrieben und in Lager im Inneren des Lan-
des gebracht.

DAS FISCHGERÄT

In meiner Kammer, an der getünchten Wand
Hängt ein kurzer Bambusstock, schnurumwickelt
Mit einem eisernen Haken, bestimmt
Fischnetze aus dem Wasser zu raffen. Der Stock
Ist erstanden in einem Trödlerladen in »downtown«. Mein
                              Sohn
Schenkte ihn mir zum Geburtstag. Er ist abgegriffen.
Im Salzwasser hat der Rost des Hakens die Hanfbindung
                              durchdrungen.
Diese Spuren des Gebrauchs und der Arbeit
Verleihen dem Stock große Würde. Ich
Denke gern, dieses Fischgerät
Sei mir hinterlassen von jenen japanischen Fischern
Die man jetzt von der Westküste weg in Lager trieb
Als verdächtige Fremdlinge, bei mir eingestellt
Mich zu erinnern an manche
Ungelöste, aber nicht unlösliche
Frage der Menschheit.

Und ich sah ein Geschlecht, befähigt sich Türme zu bauen
Hoch in das Licht der Sonne wie keins, und es hauste in
Höhlen.
Wußte den Boden zu nähren, so daß er gedoppelte Frucht
gab
Aß aber Rinde von Bäumen und hatte der Rinde genug
nicht.
Und es war im Himmel der Ort, wo die Bombengeschwader
Tödlich erschienen und kamen herauf wie am Meer die
Gezeiten
Nur nicht so pünktlich wie die, denn Natur war's, nur nicht
verstand'ne.
Wieder wie einst entschied die nie zu wissende Witt'rung
Dürre und Nässe, das Ausmaß alle nährender Ernten
Aber nicht ganz; denn, wiederkehrend in schrecklichen
Zyklen
Schaufelte sich das Getreide ins Feuer, die Bohne ins Wasser.
Und da vieles geschah, entrückt der gemeinen Berechnung
Tauchten in Formeln, die Berge versetzten und Flüsse
verlegten
Wieder die Götter auf, die alten, aus dunkler Vorzeit.

DIE VERWANDLUNG DER GÖTTER

Die alten heidnischen Götter – das ist ein Geheimnis –
Waren die ersten, die sich zum Christentum bekehrten
Durch die grauen Eichenhaine gingen sie vor allem Volk
Murmelten volkstümliche Gebete und bekreuzten sich.

Durch das ganze Mittelalter stellten sie sich
Wie zerstreut in die steinernen Nischen der Gotteshäuser
Überall, wo göttliche Gestalten gebraucht wurden.

Und zur Zeit der französischen Revolution
Legten sie als erste die goldenen Masken der reinen
                                    Vernunft an
Und als mächtige Begriffe
Gingen sie, alte Blutsäufer und Gedankenknebler
Über die gebeugten Rücken der schuftenden Menge.

Der eine ist reich und der andere ist arm
Und man sieht nicht, woraus es kommt, denn
Da sind Törichte reich, und weise Leute
Wissen nicht, wo ihren Kopf verstecken vor dem Regen.
Da also nichts nach Verdienst geht
Muß es doch einen Gott geben
Der nach seinem Gutdünken verfügt.

Was ist eine Banknote, die doch ein Papier ist
Ohne Gewicht, und doch
Das ist Gesundheit und Wärme, Liebe und Sicherheit.
Hat sie nicht ein geistiges Wesen?
Das ist etwas Göttliches.

Warum steigen die Ausgehungerten in die Kohlenschächte?
In ihren großen Händen haben sie Hacken und Hämmer
Und die Begüterten gehen doch unter ihnen am Samstag
                                        mittag
Ohne Furcht herum
Gott beschützt sie.

Aber vor allem: der Tod!
Da wird uns das Leben entrissen
Wie sollen wir Entreißer uns etwas entreißen lassen?
Immer haben wir etwas bekommen dafür, daß wir lebten
Sollen wir für unsern Tod nichts bekommen?
Gott schenkt uns ein besseres Leben.

DIE HANDELND UNZUFRIEDENEN

Die handelnd Unzufriedenen, eure großen Lehrer
Erfanden die Konstruktion des Gemeinwesens
In dem der Mensch dem Menschen kein Wolf ist.
Und entdeckten die Lust des Menschen am Sattessen und
Trockenwohnen
Und seinen Wunsch, seine Sache selber zu ordnen.

Sie glaubten nicht dem Geschwätz der Pfaffen
Daß der schreckliche Hunger gestillt werde, wenn die
Mägen verfault sind.
Sie schütteten die Schüssel mit dem schlechten Essen aus.
Sie erkannten in dem Mann, den man ihnen als Feind
bezeichnete
Ihren hungrigen Nebenmann.
Sie waren geduldig nur im Kampf gegen die Unterdrücker
Verträglich nur zu denen, die die Ausbeutung nicht ertrugen
Müde nur des Unrechts.

Wer den Stuhl wegschleuderte, auf dem er schlecht saß
Wer den Pflug einen Zoll tiefer in die Erde drückte als jeder
andere zuvor
Der soll unser Lehrer sein, der Unzufriedene
Beim Umbau des Gemeinwesens.

Diejenigen aber
Die von einem Teller voll Versprechungen satt wurden
Ihnen soll man die Mägen herausreißen.
Ihre krummen Knochen zu verstecken
Ist ein Löffel voll Sand zu schade.

Als der Wandelbare gestorben war
Legten sie ihn in die kleine geweißnete Kammer
Mit dem Ausblick auf Pflanzen für die Besucher
Legten ihm zu Füßen auf den Boden
Pferdesattel und Buch, Trankmischer und Handspiegel
Hängten an die Wand den eisernen Haken
Zum Aufspießen der Zettel mit den Notierungen
Unvergessener Freundlichkeiten des Toten und
Ließen die Besucher ein.

Und eintraten seine Freunde
(Auch die ihm wohlwollten unter seinen Anverwandten)
Seine Mitarbeiter und seine Schüler, abzuliefern
Die Zettel mit den Notierungen
Unvergessener Freundlichkeiten des Toten.

Als sie den Wandelbaren ins Totenhaus trugen
Trugen sie ihm voraus die Masken
Seiner fünf großen Gestaltungen
Der drei vorbildlichen und zwei bestrittenen
Aber zugedeckt war er mit der roten Fahne
Geschenk der Arbeiter
Für seine Unwandelbarkeit in den Tagen der
                                                  Unterdrückung
Und seine Leistungen in den Tagen der Umwälzung.

Auch verlasen an der Tür zum Totenhaus
Die Vertreter der Räte den Text seiner Entlassung

Mit der Beschreibung seiner Verdienste, der Tilgung
Aller Verweise und der Ermahnung an die Lebendigen
Ihm nachzueifern und seinen Platz auszufüllen.

Dann begruben sie ihn im Stadtpark, da wo die Bänke
Für die Liebenden stehn.

Auch das Beschädigte
Nimm es in Kauf
Dies nicht Bestätigte
Schnell, gib es auf!

Dulde den mindern
Liebreiz der Wang
Siehe, der Hintern
Gleicht sich noch lang.

Der du's versiebt hast
Halt, was verblieb
Du, der geliebt hast
Nimm jetzt vorlieb!

Und es sind die finstern Zeiten
In der andern Stadt
Doch es bleibt beim leichten Schreiten
Und die Stirn ist glatt.

Harte Menschheit, unbeweget
Lang erfrornem Fischvolk gleich
Doch das Herz bleibt schnell gereget
Und das Lächeln weich.

GEMEINSAME ERINNERUNG

Nacht auf der Nyborgschaluppe
Frührot im finnischen Ried
Zeitung und Zwiebelsuppe
New York, fifty-seventh Street

Im Paris der Kongresse
Svendborg und Wallensbäk
Londoner Nebel und Nässe
Auf der »Anni Johnson« Deck

Zelt auf der Birkenkuppe
In Marlebaks Morgengraun
O Fahne der Arbeitertruppe
In der Altstadt von København!

DIE FREIWILLIGEN WÄCHTER

Mit meinen literarischen Werken
Habe ich mir einige freiwillige Wächter gewonnen
Die in dieser Stadt der Verkäufe über mich wachen.

Teure Häuser und Häuser mit exotischem Einschlag
Sind mir verboten. Gewisse Leute
Darf ich nur sehen, wenn ich Geschäfte
Nachweisen kann. Sie einzuladen an meinen Tisch
Ist mir verboten. Als ich von dem Kauf eines
                          schöngearbeiteten Tisches sprach
Stieß ich nur auf Gelächter. Wollte ich eine Hose kaufen
Würde ich sicher hören: hast du nicht schon eine?

So wachen sie über mich in dieser Stadt
Um sagen zu können, sie kennen einen
Der sich nicht verkauft.

STÄDTISCHE LANDSCHAFT

1

Ihr Ausgegabelten aus den Sardinenbüchsen
Einzelne wieder, Pläne eurer Mütter
Zwischen Teller und Lippe, noch einmal
Mit seltsamem Aug, vielleicht einer eigenen Brau!
Triefend vom Öl des Zuspruchs und des Trostes
Der euch frisch hält, etwas flachgedrückt
Mit Bügelfalten, ihr Buchhalter, euch
Suche ich auf, der Städte
Gepriesenen Inhalt!

2

Aus dem Gossenwasser
Wird noch Gold gewaschen.
Der große Entlassene
Über den Dächern, der Rauch
Begibt sich hinweg.

3

Im Hinterhof hängt Wäsche; eines Weibes
Rosa Hose, der Wind
Fährt hinein.

4

Die Stadt schläft. Sie schlingt
Heißhungrig ihren Schlaf hinunter. Gurgelnd
Liegt sie in der Gosse, heimgesucht
Von unzüchtigen Träumen und
Nahrungssorgen.

5

Die Menschenströme
Überfüllen die Geschäftsviertel
Die in der Nacht gesäubert wurden
Von dem Schmutz und den Verheerungen der
                                    Menschenströme
Vom Tag vorher.

6

In den trüben Menschenströmen
Die an die Häuserwände klatschen
Schwimmen Zeitungsblätter.
Die Monumente umspülen und
In die Kontorgebäude hochsteigen

Die neun Völker der Stadt, schlafen
Erschöpft
Von ihren Lastern und den Lastern der anderen.
Die Werkzeuge
Liegen bereit für die morgige Arbeit. Durch die leeren
                                    Straßen
Hallen die Schritte der Wächter.
Auf einem Feld weit weg
Erheben sich schwer
Die Bombenplane.

TAGESANBRUCH

Nicht umsonst
Wird der Anbruch jeden neuen Tages
Eingeleitet durch das Krähen des Hahns
Anzeigend seit alters
Einen Verrat.

Rennend zwischen Riesentrichtern
Lassen wir hysterisch Drachen steigen
Schwarz mit Texten, oben anzuzeigen
Die Präsenz von strengen Richtern.

Niemand freilich wird sie sichten
Abgesehn von einigen Staren
Denn die großen Bomber fahren
In den allerhöchsten Schichten.

Harmlos sind die Drachenspiele
Nur verbrauchen wir zu viele
Dicke
Schöne zuverlässige Stricke.

IN DER FRÜHE DES NEUEN TAGS

In der Frühe des neuen Tags noch zur Dämmerung
Werden die Geier sich erheben in dicken Schwärmen
An entfernten Gestaden
In lautlosem Flug
Im Namen der Ordnung.

JEDEN TAG GREIFEN DIE ROTEN ARMEEN AN

Die Welt hallt wider von dem Wort »Verteidigung«.
Nach bösen Absichten
Durchforschen die Radioansager die Reden des Anstreichers.
Die Staatsmänner und Generäle suchen auf der Landkarte
Nach bedrohten Punkten. Die Munitionsschiffe
Gehen unter auf dem Weg nach gefallenen Festungen.
Jeden Tag
Greifen die Roten Armeen an.

BRIEFE ÜBER GELESENES

(Horazens Episteln
Buch 2, Epistel 1)

I

Hütet euch, ihr
Die ihr den Hitler besingt! Ich
Der die Züge des Mai und Oktober
Am Roten Platze gesehen habe und die Inschriften
Ihrer Transparente und am Pazifischen Meer
Auf dem Roosevelt-Highway die donnernden
Ölzüge und Lastwägen, beladen mit
Fünf Autos übereinander, weiß
Daß er bald sterben wird und sterbend
Seinen Ruhm überlebt haben wird, aber
Selbst wenn er die Erde unbewohnbar
Machte, indem er sie
Eroberte, könnte kein Lied
Ihn besingend, bestehn. Freilich erstirbt
Allzurasch der Schmerzensschrei auch ganzer
Kontinente, als daß er das Loblied
Des Peinigers ersticken könnte. Freilich
Haben auch die Besinger der Untat
Wohllautende Stimmen. Und doch
Gilt der Gesang des sterbenden Schwanes am schönsten: er
Singt ohne Furcht.

In dem kleinen Garten von Santa Monika
Lese ich unter dem Pfefferbaum
Lese ich beim Horaz von einem gewissen Varius

Der den Augustus besang, das heißt, was das Glück, seine
                                    Feldherrn
Und die Verderbtheit der Römer für ihn getan. Nur kleine
                                    Fragmente
Abgeschrieben im Werk eines andern, bezeugen
Große Verskunst. Sie lohnte nicht
Die Mühe längeren Abschreibens.

                                    II

Mit Vergnügen lese ich
Wie Horaz die Entstehung der Saturnischen Verskunst
Zurückführt auf die bäurischen Schwänke
Welche die größten Häuser nicht schonten, bis
Die Polizei boshafte Lieder verbot, wodurch
Die Schmähenden gezwungen wurden
Edlere Kunst zu entwickeln und mit
Feineren Versen zu schmähen. So wenigstens
Verstehe ich diese Stelle.

Hoch über der pazifischen Küste, unter sich
Den leisen Donner der Wogen und das Rollen der Ölwaggons
Liegt der Garten des Schauspielers.

Das weiße Haus ist beschattet von riesigen
                              Eukalyptusbäumen
Verstaubten Überbleibseln der verschwundenen Mission.
Nichts sonst erinnert an sie, es sei denn das indianische
Granitene Schlangenhaupt, das neben dem Brunnen liegt
Als erwarte es geduldig
Den Verfall mehrerer Zivilisationen.

Und da war auf einem Holzblock eine mexikanische
                              Skulptur
Aus porösem Tuffstein, darstellend ein Kind mit
                              heimtückischen Lidern
Das stand vor den Backsteinen des Werkschuppens.

Schöne graue Bank chinesischer Zeichnung, zugewendet
Dem Werkschuppen. Auf ihr sitzend, plaudernd
Blickst du über die Schulter auf den Zitronenhain
Ohne Mühe.

In einem heimlichen Gleichgewicht
Ruhen und schwingen die Teile, doch nirgends
Scheiden sie sich dem entzückten Blick, auch erlaubt die
                              meisterliche Hand
Des allgegenwärtigen Gärtners keiner der Einheiten

Völlige Einheitlichkeit: bei den Fuchsien etwa
Mag ein Kaktus wohnen. Auch ordnen die Jahreszeiten
Ständig die Einblicke, bald hier, bald da
Blühen oder verblühen die Gruppen. Ein Menschenalter
Reichte nicht aus, hier alles zu bedenken. Doch
Wie der Garten mit dem Plan
Wächst der Plan mit dem Garten.

Die kräftigen Eichenbäume in dem lordlichen Rasen
Sind deutliche Geschöpfe der Fantasie. Der Herr des Gartens
Baut mit der scharfen Säge
Alljährlich ein neues Geäst.

Unbedacht aber wuchert das Gras jenseits der Hecke
Um den riesigen wilden Rosenstrauch. Cynien und bunte
                           Winden
Wiegen sich über dem Abhang. Süße Bohnen, Farne
Sprießen um das gescheitete Brennholz.

In der Ecke unter den Fichten
Findest du an der Mauer den Fuchsiengarten. Wie
                           Immigranten
Stehen die schönen Sträucher uneingedenk ihrer Herkunft
Sich überraschend durch manches kühne Rot
Mit volleren Blüten um den kleinen einheimischen
Zarten und kraftvollen Strauch der winzigen Kelchlein.

Und da war ein Garten im Garten
Unter einer Föhre, also im Schatten
Zehn Fuß breit und zwölf Fuß lang
Der war groß wie ein Park
Mit ein wenig Moos und Zyklamen
Und zwei Büschen Kamelien.

Und nicht nur aus seinen Pflanzen und Bäumen
Baute der Herr des Gartens, sondern auch
Mit den Pflanzen und Bäumen der Nachbarn, sagend ihm
dieses
Lächelnd gestand er: ich stehle nach allen Seiten.
(Aber die schlechten Dinge verbarg er
Mit seinen Pflanzen und Bäumen.)

Überall verstreut
Standen kleine Büsche, Gedanken einer Nacht
Wohin man kam, wenn man suchte
Fand man verborgen lebendige Entwürfe.

Am Haus hin führt ein klösterlicher Gang von
Ibiskussträuchern.
Eng gepflanzt, daß der Promenierende
Sie zurückbiegen muß, so entladend
Den vollen Duft ihrer Blüten.

In dem klösterlichen Gang am Haus, neben der Lampe
Ist der arizonische Kaktus gepflanzt, der mannshohe, der
alljährlich
Eine Nacht lang blüht, dieses Jahr
Zu dem Donner der manöverierenden Schiffskanonen
Mit faustgroßen weißen Blumen von der Zartheit
Eines chinesischen Schauspielers.

Leider ist der schöne Garten, hoch über der Küste gelegen
Auf brüchiges Gestein gebaut. Erdrutsche
Nehmen ohne Warnung Teile plötzlich in die Tiefe.
Anscheinend
Bleibt nicht viel mehr Zeit, ihn zu vollenden.

BRIEF AN DEN STÜCKESCHREIBER ODETS

Kamerad, in deinem Stück »Paradise Lost« zeigst du
Daß die Familien der Ausbeuter
Der Zerstörung anheimfallen.
Was soll das?

Vielleicht fallen die Familien der Ausbeuter
Der Zerstörung anheim. Und wenn sie es nicht täten?
Beuten sie nicht mehr aus, wenn sie verkommen oder
Fällt es uns leichter, ausgebeutet zu werden, wenn sie
Nicht verkommen sind? Soll der Hungrige
Weiter hungern, wenn der ihm das Brot verwehrt
Ein gesunder Mann ist?

Oder willst du uns sagen, daß unsere Unterdrücker
Schon geschwächt sind? Sollen wir
Unsere Hände in den Schoß legen? Solche Bilder malte
Unser Anstreicher, Kamerad, und über Nacht
Bekamen wir die Stärke unserer verkommenen Ausbeuter
                    zu spüren.

Oder solltest du Mitleid haben mit ihnen? Sollen wir
Wenn wir die Wanzen ausziehen sehen, Tränen vergießen?
Du, Kamerad, der du Mitleid zeigtest mit dem Mann
Der nichts zu essen hat, hast du nun Mitleid
Mit dem, der sich überfressen hat?

DER ALTE MANN VON DOWNING STREET

>Steh still, Sonn, zu Gibeon
Mond im Tal Ajalon!<

Zieht eure Ledergürtel fester, flandrische Arbeiter!
Der alte Mann von Downing Street frühstückt mit euren
300 Verrätern heute Morgen.

Verbackt euer Saatgut, Bauern der Campagna!
Es wird kein Land geben. Dockarbeiter von Neapel
Auf die Häuserwände werdet ihr malen:
»Gebt uns den Stinker zurück!« Heute im vollen
Tageslicht
War der alte Mann von Downing Street in Rom.

Haltet eure Söhne im Haus, Mütter von Athen!
Oder zündet die Kerzen an für sie: heute nacht
Bringt der alte Mann von Downing Street euren König
zurück.

Steht auf aus euren Betten, Labourlords!
Kommt, dem alten Mann von Downing Street den blutigen
Rock zu bürsten!

AUF DIE NACHRICHT VON DEN TORYBLUTBÄDERN IN GRIECHENLAND

In der Mitte des größten Gestanks
Werden die größten Wörter gesprochen.
Wer seine Nase zuhalten muß
Wie soll der seine Ohren zuhalten?

Wenn die Kanonen nicht heiser wären
Würden sie sagen: wir tun's für die Ordnung.
Wenn der Schlächter sich die Zeit nähme
Würde er sagen: ich bin selbstlos.

Seit meine Landsleute, die Griechenforscher
Aus den homerischen Gefilden vertrieben sind
Wo sie nach Olivenöl und Herden geforscht haben
Kehrten die Befreier zurück aus der Schlacht
Da saßen neue Herren in ihren Städten.

Zwischen den Kanonen hervor traten die Händler.

ALLES WANDELT SICH

Alles wandelt sich. Neu beginnen
Kannst du mit dem letzten Atemzug.
Aber was geschehen, ist geschehen. Und das Wasser
Das du in den Wein gossest, kannst du
Nicht mehr herausschütten.

Was geschehen, ist geschehen. Das Wasser
Das du in den Wein gossest, kannst du
Nicht mehr herausschütten, aber
Alles wandelt sich. Neu beginnen
Kannst du mit dem letzten Atemzug.

EPISTEL AN DIE AUGSBURGER

Und als dann kam der Monat Mai
War ein tausendjähriges Reich vorbei.

Und herunter kamen die Hindenburggass'
Jungens aus Missouri mit Bazookas und Kameras

Und fragten nach der Richtung und kleinerer Beute
Und einem Deutschen, der den zweiten Weltkrieg bereute.

Der Irreführer lag unter der Reichskanzlei
Niederstirnige Leichen mit Bärtchen gab es zwei, drei.

In Straßengräben faulten Feldmarschälle.
Schlächter bat Schlächter, daß er's Urteil fälle.

Die Wicken blühten. Die Hähne schwiegen betroffen.
Die Türen waren geschlossen. Die Dächer standen offen.

GESTANK

Fünf Jahre kamen die großen Bomber geflogen
Im sechsten kamen Kanonen, von ukrainischen Gäulen
                                gezogen.

Eisen und Feuer kam zuhauf
Da brach die Festung Deutschland auf.

Und siehe, ein großer Gestank stieg auf an der Ruhr
Als welcher aus den Villen der Krupp und Thyssen fuhr.

Und ein andrer Gestank stieg auf in Berlin aus der
                                Bendlerstraße
Der fuhr aus den Gebäuden der Generalstabsblase.

Und ein dritter Gestank stieg auf in den östlichen Provinzen
Der fuhr aus den Gütern der Junker und Prinzen.

Und ein vierter Gestank stieg auf und verteilte sich nicht
Der fuhr aus dem Leipziger Reichsgericht.

Und ein fünfter und sechster und siebter Gestank stieg auf
                                und stand
Über den braunen Häusern im ganzen Land.

Und ganz Deutschland stank wie der Waffenrock von
                                Fridericus Rex

Der sich niemals wusch. Und so groß war der Gestank des
                                    hundertjährigen Drecks
Daß es in der Welt kein Taschentuch groß genug gab
Gegen die Gestänke aus Zeugkammer, Bank, Kanzel,
                                    Kanzlei und Grab.

ABGESANG

Soll die letzte Tafel dann so lauten
Die zerbrochene, die ohne Leser:

Der Planet wird zerbersten.
Die er erzeugt hat, werden ihn vernichten.

Zusammen zu leben, erdachten wir nur den Kapitalismus.
Erdenkend die Physik, erdachten wir mehr.
Da war es, zusammen zu sterben.

VERURTEILUNG ANTIKER IDEALE

Würde, mit falschen Gewichten gewogen!
Wen läßt du zurück, unerschütterter Greis?
Unzerkrümpelte Falten imperialer Togen
Wer entfernte das Zettelchen mit dem Preis?

O Stumpfsinn der Größe vergangener Zeiten
O steinerne Standbilder der Geduld
Klagloses Ertragen vermeidbarer Leiden
Glaube an unvermeidbare Schuld!

Was mußtet ihr, die euch das Schicksal bereiten
Götter nennen? Zu was war das gut?
O Gelassenheit, idiotisches Schweigen
Zu dem, was euch getan wird, und zu dem, was ihr tut.

Du, der du den Schlag empfingst und nicht schrieest
Du, der du von allen Tischen weggingst
Du, der du verstandest und der du verziehest
Du, der du im Feuer stehst und noch singst

Du, der du da um dein Leben betrogen bist
Und der du nicht kämpfst, bilde dir nichts ein:
Das Todesurteil, das an dir schon vollzogen ist
Soll auch von uns unterschrieben sein.

ENTTÄUSCHUNG

Woher hatten sie's, wenn sie's nicht stahlen
Jene Airs, sich ewig aufzuheben?
Auf den ungeheuren Piedestalen
Läßt es sich nicht so lang menschlich leben.
Solche schwarze eingeschrumpfte Zwerge
Wie man wegschafft, sind sie nicht gewesen
Nur: auf ihrem gipsernen Äonenberge
Hatten sie den Spatzen diese Krumen wegzulesen.
Alles, was den Göttlichen ja nach dem Buch gebühret
Sind die Tränklein aus der kleinen Regen Hebe!
Unser grimmer Hunger, daß es solche gebe
Die nicht hungern, hat sie so verführet.

ADRESSE DES STERBENDEN DICHTERS
AN DIE JUGEND

Ihr jungen Leute kommender Zeiten und
Neuer Morgenröten über Städten, die
Noch nicht gebaut sind, auch
Ungeborene ihr, vernehmt
Meine Stimme jetzt, der ich gestorben bin
Und nicht ruhmvoll.

Sondern
Wie ein Bauer, der sein Feld nicht bestellt hat und
Wie ein Zimmermann, der faul weggelaufen ist
Vom offenen Dachstuhl.

So habe ich
Meine Zeit versäumt, meine Tage verschwendet und nun
Muß ich euch bitten
All das nicht Gesagte zu sagen
All das nicht Getane zu tun und mich
Schnell zu vergessen, ich bitt euch, damit nicht
Mein schlechtes Beispiel auch euch noch verführe.

Ach, warum saß ich doch
Am Tisch der Unfruchtbaren, mitessend das Mahl
Das sie nicht bereitet hatten?

Ach, warum mischte ich
Meine besten Worte in ihr
Müßiges Geschwätz? Aber draußen
Gingen die Unbelehrten
Dürstend nach Belehrung.

Ach, warum
Steigen meine Lieder nicht auf von den Orten, wo
Die Städte genährt werden, dort, wo sie Schiffe bauen,
                    warum
Steigen sie nicht aus den schnell fahrenden
Lokomotiven der Züge wie Rauch, der
Im Himmel zurückbleibt?

Weil meine Rede
Den Nützlichen und Schaffenden
Wie Asche im Mund ist und trunknes Gestammel.

Nicht ein Wort
Weiß ich für euch, ihr Geschlechter kommender Zeiten
Nicht einen Hinweis mit unsicherem Finger
Könnt ich euch geben, denn wie
Könnte den Weg weisen, der
Ihn nicht gegangen ist!

Also verbleibt mir, der ich mein Leben
So vergeudet habe, nur, euch aufzufordern
Kein Gebot zu achten, das aus unserem
Faulen Maule kommt und keinen
Rat entgegenzunehmen von denen, die
So versagt haben, sondern
Nur aus euch heraus zu bestimmen, was euch
Gut ist und euch
Hilft, das Land zu bebauen, das wir verfallen ließen, und
Die wir verpesteten, die Städte
Bewohnbar zu machen.

DER SCHREIBER FÜHLT SICH VERRATEN VON EINEM FREUND

Was das Kind fühlt, wenn die Mutter mit dem fremden
                Mann weggeht.
Was der Zimmermann fühlt, wenn ihn der Schwindel
                überkommt, das Zeichen des Alterns.
Was der Maler fühlt, wenn das Modell nicht mehr kommt
                und das Bild ist unvollendet.
Was der Physiker fühlt, wenn er den Fehler weit vorne in der
                Reihe der Versuche entdeckt.
Was der Flieger fühlt, wenn über dem Gebirge der Öldruck
                absinkt.
Was das Flugzeug, fühlte es, fühlt, wenn der Flieger
                betrunken steuert.

DIE SCHÖNE GABEL

Als die Gabel mit dem schönen Horngriff brach
Flog mir durch den Kopf, daß tief in ihr
Immer ein Fehler gewesen sein müßte. Mit Mühe
Rief ich mir zurück ins Gedächtnis
Die Freude an der Makellosen.

EINST

Einst schien dies in Kälte leben wunderbar mir
Und belebend rührte mich die Frische
Und das Bittre schmeckte, und es war mir
Als verbliebe ich der Wählerische
Lud die Finsternis mich selbst zu Tische.

Frohsinn schöpfte ich aus kalter Quelle
Und das Nichts gab diesen weiten Raum.
Köstlich sonderte sich seltne Helle
Aus natürlich Dunklem. Lange? Kaum.
Aber ich, Gevatter, war der Schnelle.

DER LETZTE

Der Kampf ist gekämpft, zu Tisch jetzt!
Auch die schwarzen Zeiten nehmen ein Ende.
Was der Kampf übrigließ, greife nach der Gabel!
Der Stärkere war, der übrig blieb.
Und den Letzten beißen die Hunde.

Steh auf, Müder!
Der Starke ist, der keinen zurückließ.
Geh noch einmal hinaus, hink, krieche, schlage dich!
Und hol den Letzten!

TEILE NUN AUCH UNSERN SIEG MIT UNS

Du hast unsere Niederlage mit uns geteilt, teile nun auch
Unsern Sieg mit uns.

Du hast uns gewarnt vor manchem Irrweg
Wir gingen ihn, du
Gingst ihn mit.

DEUTSCHLAND 1945

Im Haus ist der Pesttod
Im Frei'n ist der Kältetod.
Wohin gehen wir dann?
Die Sau macht ins Futter
Die Sau ist meine Mutter
O Mutter mein, o Mutter mein
Was tuest du mir an?

KALIFORNISCHER HERBST

I

In meinem Garten
Gibt es nur immergrüne Pflanzen. Will ich Herbst sehn
Fahr ich zu meines Freundes Landhaus in den Hügeln. Dort
Kann ich für fünf Minuten stehn und einen Baum sehn
Beraubt des Laubs, und Laub, beraubt des Stamms.

II

Ich sah ein großes Herbstblatt, das der Wind
Die Straße lang trieb, und ich dachte: Schwierig
Den künftigen Weg des Blattes auszurechnen!

DER KRIEG IST GESCHÄNDET WORDEN

Wie ich höre, wird in den besseren Kreisen davon
gesprochen
Daß der zweite Weltkrieg in moralischer Hinsicht
Nicht auf der Höhe des ersten gestanden habe. Die
Wehrmacht
Soll die Methoden bedauern, mit denen die Ausmerzung
Gewisser Völker von der SS vollzogen wurde. Die
Ruhrkapitäne
Heißt es, beklagen die blutigen Treibjagden
Die ihre Gruben und Fabriken füllten mit Sklavenarbeitern,
die Intelligenzler
Hör ich, verdammen die Forderung nach Sklavenarbeitern
von Seiten der
Industriellen, sowie die gemeine Behandlung. Selbst die
Bischöfe
Rücken ab von dieser Weise, Kriege zu führen, kurz, es
herrscht
Allenthalben jetzt das Gefühl, daß die Nazis dem Vaterland
Leider einen Bärendienst erwiesen und daß der Krieg
An und für sich natürlich und notwendig, durch diese
Über alle Stränge schlagende und geradezu unmenschliche
Art, wie er diesmal geführt wurde, auf geraume Zeit hinaus
Diskreditiert wurde.

Die amerikanischen Korrespondenten beschweren sich
Über die Gleichgültigkeit der deutschen Bevölkerung
                                gegenüber
Den Enthüllungen der Kriegsverbrechen. Wie, wenn diese
                                Leute
Über ihre Obrigkeit schon Bescheid wüßten und nur
Auch jetzt noch nicht sähen, wie
Die Verbrecher los werden?

STOLZ

Als der amerikanische Soldat mir erzählte
Wie die wohlgenährten deutschen Bürgertöchter
Käuflich waren für Tabak und die Kleinbürgertöchter für
                                        Schokolade
Die ausgehungerten russischen Sklavenarbeiterinnen jedoch
                                        unkäuflich
Verspürte ich Stolz.

EPITAPH FÜR M.

Den Haien entrann ich
Die Tiger erlegte ich
Aufgefressen wurde ich
Von den Wanzen.

BRIEF AN DEN SCHAUSPIELER CHARLES
LAUGTHON, DIE ARBEIT AN DEM STÜCK
›LEBEN DES GALILEI‹ BETREFFEND

Noch zerfleischten sich unsere Völker, als wir
Über den abgegriffenen Heften saßen, in Wörterbüchern
Suchend nach Wörtern und viele Male
Unsere Texte ausstrichen und dann
Unter den Strichen hervor die anfänglichen Wendungen
Wieder ausgruben. Allmählich –
Während die Wälle der Häuser einstürzten in unseren
                              Hauptstädten –
Stürzten die Wälle der Sprachen zusammen. Gemeinsam
Fingen wir an, dem Diktat der Figuren und Vorgänge
Neuem Text zu folgen.

Immerfort wandelte ich mich zum Schauspieler, zeigend
Gestus und Tonfall einer Figur, und du
Wandeltest dich zum Schreiber. Weder ich noch du
Sprangen aus unserm Beruf doch.

KRIEGSFIBEL

1

Wie einer, der ihn schon im Schlafe ritt
Weiß ich den Weg, vom Schicksal auserkürt
Den schmalen Weg, der in den Abgrund führt:
Ich finde ihn im Schlafe. Kommt ihr mit?

2

»Was macht ihr, Brüder?« – »Einen Eisenwagen.«
»Und was aus diesen Platten dicht daneben?«
»Geschosse, die durch Eisenwände schlagen.«
»Und warum all das, Brüder?« – »Um zu leben.«

3

Die Frauen finden an den spanischen Küsten
Wenn sie dem Bad entsteigen in den Kliffen
Oft schwarzes Öl an Armen und an Brüsten:
Die letzten Spuren von versenkten Schiffen.

Die Glocken läuten und die Salven krachen.
Nun danket Gott als Mörder und als Christ!
Er gab uns Feuer, Feuer anzufachen.
Wißt: Volk ist Pöbel, Gott ist ein Faschist.

Ihr Leute, wenn ihr einen sagen hört
Er habe nun ein großes Reich zerstört
In achtzehn Tagen, fragt, wo ich geblieben:
Ich war dabei und lebte davon sieben.

Und Feuer flammen auf im hohen Norden
Auf stille Küsten stürzt der Lärm der Schlacht.
»Ihr Fischer sagt, wer kam da, euch zu morden?«
»Der Schützer tauchte auf im Schutz der Nacht!«

Achttausend liegen wir im Kattegatt.
Viehdampfer haben uns hinabgenommen.
Fischer, wenn dein Netz hier viele Fische gefangen hat:
Gedenke unser und laß einen entkommen.

8

Nach einem Feind seh ich euch Ausschau halten
Bevor ihr absprangt in die Panzerschlacht:
War's der Franzos, dem eure Blicke galten?
War's euer Hauptmann nur, der euch bewacht?

9

Die Straße frei der feindlichen Armee!
Die Stadt ist tot, es lebe hoch der Schutt!
Nie herrschte solche Ordnung in Roubaix.
Sie hat gesiegt, sie herrscht jetzt absolut.

10

Daß er verrecke, ist mein letzter Wille.
Er ist der Erzfeind, hört ihr, das ist wahr.
Und ich kann's sagen: denn nur die Loire
Weiß, wo ich nunmehr bin, und eine Grille.

11

Inmitten unsrer Lichtstadt, zu erobern
Ein kleines Fischlein, das sich hierher stahl
Seht ihr uns fischen für ein karges Mahl
Besiegt von Hitler und von unsern Obern.

So haben wir ihn an die Wand gestellt:
Mensch unsresgleichen, einer Mutter Sohn
Ihn umzubringen. Und damit die Welt
Es wisse, machten wir ein Bild davon.

Er war zwar ihres Feindes Feind, jedoch
War etwas an ihm, was man nicht verzeiht
Denn seht: ihr Feind war seine Obrigkeit.
So warfen sie ihn als Rebell ins Loch.

Mehr als die Deutschen haßt das Volk doch sie.
Sie saßen auf dem Dach mit vollen Hosen
Mehr als die Deutschen fürchtend die Franzosen.
Herrschaft der Deutschen? Ja. Des Volkes? Nie.

Wir sind's, die über deine Stadt gekommen
O Frau, die du um deine Kinder bangst!
Wir haben dich und sie aufs Ziel genommen
Und fragst du uns warum, so wiss': aus Angst.

So seh ich aus. Nur weil gewisse Leute
Tückisch in andre Richtung flogen als
Ich plante: so wurd ich statt Hehler Beute
Und Opfer eines, ach, Berufsunfalls.

Noch bin ich eine Stadt, doch nicht mehr lange.
Fünfzig Geschlechter haben mich bewohnt
Wenn ich die Todesvögel jetzt empfange:
In tausend Jahr erbaut, verheert in einem Mond.

Seht einen Teufel hier, doch einen armen!
»Ich lache, weil ich andre weinen weiß.
Ich bin ein Wäschereisender aus Barmen
Wenn ich auch jetzt in Tod und Elend reis'.«

Es war zur Zeit des Unten und des Oben
Als auch die Luft erobert war, und drum
Verkroch viel Volk, als einige sich erhoben
Sich unterm Boden und kam dennoch um.

Älter als ihre Bombenflugmaschinen
Ist doch der Hunger, den sie auf uns hetzen:
Um Geld für Lebensmittel zu verdienen
Sind wir gewillt, das Leben dranzusetzen.

Daß sie da waren, gab ein Rauch zu wissen:
Des Feuers Söhne, aber nicht des Lichts.
Und woher kamen sie? Aus Finsternissen.
Und wohin gingen sie von hier? Ins Nichts.

Such nicht mehr, Frau: du wirst sie nicht mehr finden!
Doch auch das Schicksal, Frau, beschuldige nicht!
Die dunklen Mächte, Frau, die dich da schinden
Sie haben Name, Anschrift und Gesicht.

Seht ihn hier reden von der Zeitenwende.
's ist Sozialismus, was er euch verspricht.
Doch hinter ihm, seht, Werke eurer Hände:
Große Kanonen, stumm auf euch gericht'.

24

Ich war der Bluthund, Kumpels. Diesen Namen
Gab ich mir selber, ich, des Volkes Sohn
Sie anerkannten's: als die Nazis kamen
Gewährten sie mir Wohnung und Pension.

25

Ich bin der Schlächterclown in dem Betrieb.
Der eiserne Hermann, der beliebte Ringer
Und Reichsmarschall, der Polizist als Dieb:
Wer mir die Hand gibt, zähle seine Finger.

26

Ich bin »der Doktor«, dokternd die Berichte.
Und sei es eure Welt, mir fällt was ein.
Was tut's? Ich schreibe selbst die Weltgeschichte.
Man glaubt mir nicht einmal mein kurzes Bein.

27

»Joseph, ich hör, du hast von mir gesagt:
Ich raube.« – »Hermann, warum sollst du rauben?
Dir was verweigern, wär verdammt gewagt.
Und hätt ich's schon gesagt, wer würd mir glauben?«

O Schwanensang! »Nie sollst du mich befragen!«
O Pilgerchor! O Feuerzaubertrick!
O Lied vom Rheingold auf den leeren Magen!
Ich nenn sie die Bayreuther Republik.

Ein steinern Roß trabt aus der Reichskanzlei
Das trostlos in die dunkle Zukunft stiert.
»Was fehlt dir, Roß?« – »Der Roßkur wohnt' ich bei
Acht Jahre nun und wurde nicht kuriert.«

Das sind sechs Mörder. Nun geht nicht davon
Und nickt nicht, lässig murmelnd ein »ganz recht«:
Sie zu entlarven kostete nun schon
An fünfzig Städte uns und ein Geschlecht.

O frohe Botschaft: Gott mobilisiert!
Hitler stieß vor und Gott kam nicht mehr nach.
Nun hoffet, daß Gott nicht den Krieg verliert
Weil es auch ihm zum Schluß am Öl gebrach!

32

Zehn Völker hab ich unterm Stiefel und
Dazu mein eigenes. Die blutige Spur
Von diesem Stiefel färbt zerstampften Grund
Von Kirkenaes bis Mühlheim an der Ruhr.

33

Ihr Brüder, hier im fernen Kaukasus
Lieg nun ich, schwäbischer Bauernsohn, begraben
Gefällt durch eines russischen Bauern Schuß.
Besiegt ward ich vor Jahr und Tag in Schwaben.

34

»Was bracht euch zwei ans Nordkap?« – »Ein Befehl.«
»Ist's euch nicht kalt, ihr zwei?« – »In Leib und Seel.«
»Wann geht's nach Haus, ihr zwei?« – »Wenn's nicht
        mehr schneit.«
»Wie lang wird's schnein, ihr zwei?« – »In Ewigkeit.«

35

Dies Glas dem Vaterland und hundert Junkern!
Dem deutschen Schwert und dem Profit daraus!
Dem deutschen Volk in Waffen und in Bunkern!
Dem Irreführer, prost, von Mann und Maus!

O Rausch der Kriegsmusik und Sturm der Fahnen!
Mythos vom Hakenkreuzzug der Germanen!
Am Ende handelte sich's nur um eins:
Ein Schlupfloch finden! Doch du fandest keins.

Die Herren raufen um dich, schöne Schöpfung
Und rasend stoßen sie sich aus den Schuh'n.
Denn jeder rühmt sich kundiger der Schröpfung
Und mehr im Rechte, dir Gewalt zu tun.

Ich kenne das Gesetz der Gangs. Ich fuhr
Im allgemeinen gut mit Menschenfressern.
Sie fraßen aus der Hand mir. Die Kultur
Find't als Verteidiger hier keinen bessern.

O Stimme aus dem Doppeljammerchore
Der Opfer und der Opferer in Fron!
Der Sohn des Himmels, Frau, braucht Singapore
Und niemand als du selbst braucht deinen Sohn.

40

Als wir uns sahn – 's war alles schnell vorbei –
Ich lächle und die beiden lächeln wieder.
So lächelten wir erstmal alle drei.
Dann zielte einer, und ich schoß ihn nieder.

41

Damit ihr auch bekommt, was euch gefällt
Sei euch dies Rübenbildnis angeboten.
Das halt' euch überm Meer im Dschungelzelt!
Ein solches Bild weckt, hör ich, einen Toten!

42

Daß es entdeckt nicht und getötet werde –
Denn in den Lüften rauften sich die Herrn –
Verkroch viel Volk sich angstvoll in die Erde
Und folgte ihren Kämpfen so von fern.

43

Als nun für mich die lange Schlacht vorbei
Half mir ein Mann zurück, der freundlich war.
Aus seinem Schweigen lernte ich, er sei
Wohl des Verstehns, doch nicht des Mitleids bar.

O armer Yorick aus dem Dschungeltank!
Hier steckt dein Kopf auf einem Deichselstiel
Dein Feuertod war für die Domeibank.
Doch deine Eltern schulden ihr noch viel.

Wir hörten auf der Schulbank, daß dort oben
Ein Rächer allen Unrechts wohnt, und trafen
Den Tod, als wir zum Töten uns erhoben.
Die uns hinaufgeschickt, müßt, ihr bestrafen.

Den kleinen Bruder deines Feindes trag
Uns aus der Schlacht, in die sie dich da senden.
Soldat, mit deinem Sohn zusammen mag
Er einst besprechen, wie die Kriege enden.

Es hatte sich ein Strand von Blut zu röten
Der ihnen nicht gehörte, dem noch dem.
Sie waren, heißt's, gezwungen, sich zu töten.
Ich glaub's, ich glaub's. Und frag nur noch: von wem?

Und viele von uns sanken nah den Küsten
Nach langer Nacht beim ersten frühen Licht.
Sie kämen, sagten wir, wenn sie nur wüßten.
Denn daß sie wußten, wußten wir noch nicht.

49

Weh, unsre Herren haben sich entzweit.
Auf unsern Äckern, wasserlos und steinig
Sind nun drei fremde Heere schon im Streit.
Nur gegen uns sind sie sich alle einig.

50

Wir bringen Mehl und einen König, nehmt!
Doch wer das Mehl nimmt, muß den König nehmen.
Wer sich zum Stiefellecken nicht bequemt
Der mag zum Weiterhungern sich bequemen.

51

Nicht Städte mehr. Nicht See. Nicht Sternefunkeln.
Und keine Frau und niemals einen Sohn.
Und nicht den heitern Himmel, noch den dunkeln.
Nicht über Japan, noch auch Oregon.

Die ihr hier liegen seht, gedeckt vom Kot
Als lägen sie nun schon in ihren Gräbern, ach –
Sie schlafen nur, sie sind nicht wirklich tot.
Doch wären sie, nicht schlafend, auch nicht wach.

In jener Juni-Früh nah bei Cherbourg
Stieg aus dem Meer der Mann aus Maine und trat
Laut Meldung gen den Mann an von der Ruhr
Doch war es gen den Mann von Stalingrad.

Doch als wir vor das rote Moskau kamen
Stand vor uns Volk von Acker und Betrieb
Und es besiegte uns in aller Völker Namen
Auch jenes Volks, das sich das deutsche schrieb.

Ein Brüderpaar, seht, das in Panzern fuhr
Zu kämpfen um des einen Bruders Land!
So grausam ist zum Elefanten nur
Sein Bruder, der gezähmte Elefant.

Vor Moskau, Mensch, gabst du dein Augenlicht.
O blinder Mensch, jetzt wirst du es verstehn.
Der Irreführer kriegte Moskau nicht.
Hätt er's gekriegt, hättst du es nicht gesehn.

Seht diese Hüte von Besiegten! Und
Nicht als man sie vom Kopf uns schlug zuletzt
War unsrer bittern Niederlage Stund.
Sie war, als wir sie folgsam aufgesetzt.

Hier sitz ich, haltend meinen armen Kopf:
Der Irreführer über alle Berge.
Die Körnlein hat das Huhn im Kropf:
Die kriegen die Zwerge.

Und alles Mitleid, Frau, nenn ich gelogen
Das sich nicht wandelt in den roten Zorn
Der nicht mehr ruht, bis endlich ausgezogen
Dem Fleisch der Menschheit dieser alte Dorn.

Mir ist's, als ob ich euer Heim zerstörte
Weil es mein Bruder war, Gott sei's geklagt!
Da war kein lichterer Tag, als wenn ich hörte
Daß ihr ihn nun besiegt habt und verjagt.

Seht unsre Söhne, taub und blutbefleckt
Vom eingefrornen Tank hier losgeschnallt:
Ach, selbst der Wolf braucht, der die Zähne bleckt
Ein Schlupfloch! Wärmt sie, es ist ihnen kalt.

Im Arm das Kind und das Gewehr zur Seite
Das Leben wagend für ein bessres Leben:
Ich wünschte euch nach diesem blutigen Streite
Noch von den Kindern meines Volks umgeben.

Ihr in den Tanks und Bombern, große Krieger!
Die ihr in Algier schwitzt, in Lappland friert
Aus hundert Schlachten kommend als die Sieger:
Wir sind's, die ihr besiegt habt. Triumphiert!

64

Oh, hättet ihr, nun für euch selbst zu kämpfen
Ein Zehntel eurer Kraft noch, Kampfesmüde:
Die Welt, in Todes- und Gebärungskrämpfen
Wär froh, daß sie sich, euch zu schlagen, mühte.

65

Das sind die Städte, wo wir unser »Heil!«
Den Weltzerstörern einst entgegenröhrten.
Und unsre Städte sind auch nur ein Teil
Von all den Städten, welche wir zerstörten.

66

Heimkehrer, ihr, aus der Unmenschlichkeit
Erzählt daheim nunmehr mit Schauder, wie's
Bei einem Volk war, das sich knechten ließ
Und haltet euch nicht selbst schon für befreit.

67

Ich hör die Herren in Downing Street euch schelten
Weil ihr's gelitten, trüget ihr die Schuld.
Wie dem nun sei: die Herren schelten selten
Der Völker unerklärliche Geduld.

68

Euch kennend, dacht ich, und ich denk es noch
Und ich gehör nicht zu den blinden Lobern:
Ihr wärt zu mehr gut als zum blinden Welterobern
Zur Knechtschaft am Joch oder unterm Joch.

69

Das da hätt einmal fast die Welt regiert.
Die Völker wurden seiner Herr. Jedoch
Ich wollte, daß ihr nicht schon triumphiert:
Der Schoß ist fruchtbar noch, aus dem das kroch.

DAS MANIFEST

Kriege zertrümmern die Welt und im Trümmerfeld geht
                ein Gespenst um.
Nicht geboren im Krieg, auch im Frieden gesichtet, seit
                lange.
Schrecklich den Herrschenden, aber den Kindern der
                Vorstädte freundlich.
Lugend in ärmlicher Küche kopfschüttelnd in halbleere
                Speisen.
Abpassend dann die Erschöpften am Gatter der Gruben und
                Werften.
Freunde besuchend im Kerker, passierend dort ohne
                Passierschein.
Selbst in Kontoren gesehn, selbst gehört in den Hörsälen,
                zeitweis
Riesige Tanks besteigend und fliegend in tödlichen Bombern.
Redend in vielerlei Sprachen, in allen. Und schweigend in
                vielen.
Ehrengast in den Elendsquartieren und Furcht der Paläste
Ewig zu bleiben gekommen: sein Name ist Kommunismus.

Viel davon hörtet ihr. Dies aber ist, was die Klassiker
                sagen.
Lest ihr Geschichte, so lest ihr von Taten enormer
                Personen;
Ihrem Gestirn, sich erhebend und fallend; vom Zug ihrer
                Heere;
Oder von Glanz und Zerstörung der Reiche. Den
                Klassikern aber

Ist die Geschichte zuvörderst Geschichte der Kämpfe der
Klassen.
Denn sie sehen in Klassen geteilt und kämpfend die Völker
In ihrem Innern. Patrizier und Ritter, Plebejer und Sklaven
Adlige, Bauern und Handwerker, heut Proletarier und
Bourgeois
Halten sie jeweils den riesigen Haushalt im Gang, der
Erzeugung
Und der Verteilung der Güter, der lebensnotwendigen,
immer doch
Kämpfend dabei den Kampf bis aufs Messer, den um die
Herrschaft.
Mitkämpfend fügen die großen umstürzenden Lehrer des
Volkes
Zu der Geschichte der herrschenden Klassen die der
beherrschten.

Zwar, es handeln die jeweils herrschenden Klassen nach
ihren
Sehr unterschiedlichen Weisen, Patrizier nicht wie Barone
Bürger der frühen nicht wie Bürger der neuen Städte –
Hier eine Klasse vor allem den großen Despoten benutzend
Dort die despotische Vielfalt der Kammern, und eine den
Vorteil
Suchend durch blutige Kriege, und eine gemach durch
Verträge –
So ihrer Zeit ihre Siegel aufdrückend, doch alles geschieht
nur
Wie es die Art ihrer Herrschaft ermöglicht und immer in
Kämpfen
Mit den Beherrschten. So toben im Rücken gewaltiger
Kriege

Volk gegen Volk, noch andere Kriege, beschattend die
einen.
Deutsche bekriegen Franzosen, doch Städte, dem Kaiser
verbündet
Kämpfen in Deutschland dieweil mit den Fürsten. In älteren
Zeiten
Kämpfen Patrizier und Ritter in Rom mit Plebejern,
dieweilen
Römische Heere den fernen und eisigen Pontus bestürmen.

Burgfrieden gab es zuweilen. Die Klassen kämpften
verbündet
Gegen den äußeren Feind und stellten den eigenen Kampf
ein;
Doch den von beiden erfochtenen Sieg gewann dann nur
eine:
Siegreich kommt eine zurück und die andere läutet die
Glocken
Kocht ihr den Siegesschmaus und baut ihr die Säule des
Sieges.
Tiefer nämlich und dauernder ist als der Krieg noch der
Völker
Den die Geschichtschreiber schwatzhaft berichten, der
Kampf doch der Klassen
Offen gekämpft und versteckt und geführt um die eigenen
Städte
Nicht die des Feinds, jener Kampf der Beherrschten mit
ihren Beherrschern
Endigend nur mit dem völligen Umsturz des Baus der
Gesellschaft
Oder der kämpfenden Klassen gemeinsamem Sturz in das
Chaos.

So nun geschah es, daß unsre Epoche entstand, die des
                    Bürgers:
Leibeigne wurden zu Pfahlbürgern. Hinter den
                    sturmsichern Pfählen
Blühen die Zünfte auf. Doch die Mauern halten das Tuch
                    nicht
Und es erwecket der Handel das schlummernde Dorf. An
                    der Küste
Bauen die Seestädte Schiffe, die neue Gestade erreichen
Afrika fleißig umsegeln und tapfer Amerika angehn.
Und der ostindische Markt, der chinesische Markt und
                    Amerikas
Kolonisierung, die Häufung der Gelder und Waren
                    beschwingen
Handel und Schiffahrt und Industrie und mächtig
                    heraustritt
Aus der feudalen Gesellschaft der neue Beherrscher, der
                    Bürger.

Manufaktur überflügelt das Handwerk. Lange noch
                    hängen
Goldener Schlüssel und Spindel am Haus, doch den
                    Meistern der Zünfte
Bleibt nicht viel zu meistern. Viele sitzen sie nunmehr
Eng aneinander gereiht in der einen, größeren Werkstatt.
Immer noch wachsen die Märkte. Da wälzen Dampf und
                    Maschine
Neuerdings alles um und den Manufakturherrn verdrängt
                    der
Große Industrielle, Arbeitergebieter und Geldmann
Unser moderner Bourgeois. Ausführlich zeigen die Lehrer
Wie das maschinisierte große Gewerbe den Weltmarkt

Schuf und der Weltmarkt wieder das große Gewerbe
                              beschwingte
Bis die große Gewerbetreibende mächtig hervortrat
Und die Bourgeoisie im Staat erkämpfte den Vorrang.
Unsere Staatsgewalt ist nur ein williger Ausschuß
Der die verzweigten Geschäfte der Bourgeoisie verwaltet.

Und sie erwies sich als harte und sehr ungeduldige
                              Herrin.
Eisernen Trittes zerstampfte die Bourgeoisie all die alten
Patriarchalischen stillen Idylle, zerriß die feudalen
Buntscheckig ewigen Bande, geknüpft zwischen Schützling
                              und Schutzherr
Duldend kein anderes Band zwischen Menschen als nacktes
                              Int'resse
Und die gefühllose Barzahlung. Ritterlichkeit eines Herrn
                              und
Treues Gesinde und Liebe zum Boden und ehrliches
                              Handwerk
Dienst an der Sache und innre Berufung bespritzte sie mit
                              dem
Eisigen Strahl der Berechnung. Persönliche Würde
                              verramscht sie
Grob in den Tauschwert und setzt an die Stelle der vielen
                              verbrieften
Wohlerworbenen Freiheiten nur die Freiheit des Handels.
Kurz, an die Stelle natürlicher Ausbeutung, inniger,
                              frommer
Ausbeutung setzt sie nunmehr die offene, schamlose, dürre.
Priester und Richter und Arzt und Dichter und Forscher,
                              mit frommer
Scheu doch betrachtet dereinst, macht sie grinsend zu ihren
                              bezahlten

Lohnarbeitern; beherrschend die Körper, beherrscht sie die
Geister.
Kaltblütig führt sie den leidenden Menschen dem Arzt vor
als Kunden
Den er für Geld repariert, und der Priester verkauft seinen
Zuspruch.
Stundenweis teilt ihr der Richter, der Wächter des
Eigentums, Recht aus.
Was ihr Erfinder für Pflüge erdachte, ihr Händler verkauft es
Dort für Kanonen. Und was hat der Künstler zu tun für sein
Essen?
Schön porträtiert er das Antlitz der Bourgeoisie mit dem
adelnden Pinsel
Kundig des Kunstgriffs massieret der Dame erschlafftes
Gemüt er.
So denn verwandelt die Bourgeoisie in ihre bezahlten
Kopflanger alle die Dichter und Denker. Den Tempel des
Wissens
Macht sie zur Börse und selbst der Familie geheiligte Stätte
Macht sie zum Tummelplatz des höchst unheiligen
Schachers.

Aber was sind Pyramiden uns noch und Roms Aquädukte
Kölns Kathedrale, die Völkerwanderung, was ist ein
Kreuzzug
Uns, die wir Bauten gesehen und Züge, gigantisch wie diese
Alles umstürzende Klasse vollführte, die immer und üb'rall
Atemlos umwälzt was selbst sie geschaffen? Sie lebt nur
durch Umsturz.
Umsturz der Maschinerie und der Weise, in der produziert
wird
Also des Baus der Gesellschaft, all ihrer lebenden Teile.

Immer doch war die Behaltung der Weise, in der produziert
wird
Sorge der herrschenden Klassen gewesen, die war die erste
Welche die Umwälzung selbst zur ständigen Einrichtung
machte
Ihre Gebäude errichtend auf ewig bebender Erde.
Fürchtend nichts als den Rost und das Moos, vergewaltigt
sie täglich
Jede Gewalt der Verhältnisse, alle gefestigte Sitte.
Alles Ständische fällt sie und alles Geweihte entweiht sie.
Und es stehen die Menschen entsichert auf rollendem Boden
Endlich gezwungen, mit nüchternen Augen ihr Dasein zu
sichten.

Aber dies alles geschieht nicht in einem Land oder zweien
Denn der unstillbare Drang nach dem Absatz der
schwellenden Waren
Jagt unsre Bourgeoisie ohne Unterlaß über die ganze
Erdkugel hin wie im Taumel. Überall muß sie sich anbaun
Überall einnisten, überall knüpfen die klebrigen Fäden.
Kosmopolitisch so macht sie Verbrauch und Herstellung
der Güter.
Einheimisch alte Gewerbe zerstört sie und holt sich den
Rohstoff
Aus den entlegensten Ländern und ihre Fabriken bedienen
Nöte und Launen, erzeugt durch die Klimate andrer
Regionen.
Hoch in den Wolken den Bergpaß erklimmen die fiebrigen
Waren
Uralte Schlagbäume drücken sie ein und ihr Paßwort ist:
billig.
Ballen Kattun schießen Breschen in alle chinesischen
Mauern.

Allseitig abhängig werden die Völker. Auch geistige Güter
Werden Gemeingut. Die Wissenschaft baut ein
                    gemeinsames Weltbild
Und zur Weltdichtung wird die Dichtung der einzelnen
                    Völker.

Keuchend schleppt aus dem Innern fremdländischer
                    Schiffe der Neger
Niegesehne Produkte und schwitzend dahinter die fremde
Neue Erzeugerin selbst, die Maschine. Und so den Barbaren
Zivilisiert der Bourgeois, indem er ihn selbst zum Bourgeois
                    macht.
Nach ihrem eigenen Bild schafft die Bourgeoisie eine Welt
                    sich.

Und so beherrschen die Städte das Land und sie wachsen
                    zu Riesen
Mehr und mehr Volk entreißend dem Stumpfsinn ländlichen
                    Lebens.
Und wie die Städte das Land, so beherrschen die
                    Bourgeoisnationen
Füglich die Bauernnationen, der zivilisierte Mensch zügelt
Halbbarbar und Barbar und der Okzident leitet den Orient.

Maschinerie und Besitz und Bevölkerung, vordem
                    zersplittert
Schließen zu großen Gebilden sich: pausenlos häuft sich das
                    Werkzeug
Sammelt das Eigentum sich in einigen wenigen Händen
Ballt die Bevölkerung sich zu großen erzeugenden
                    Zentren.
Neue politische Felder entstehn: die losen Provinzen
Eigens regiert, mit eigenem Recht und mit eigenen Zöllen

Werden zusammengedrängt nun in eine Nation, mit dem
einen
Nationalen Belang, einem Recht und einer Regierung.

Niemals zuvor ward entfesselt ein solcher Rausch der
Erzeugung
Wie ihn die Bourgeoisie in der Zeit ihrer Herrschaft
entfacht hat
Die die Natur unterwarf, die elektrische schuf und die
Dampf-Kraft
Schiffbar machte die Ströme und riesige Weltteile urbar.
Nie zuvor hat die Menschheit geahnt, daß schlummernd im
Schoß ihr
Solche Befreiungen waren und solche erzeugenden Kräfte.

So aber hat es sich abgespielt: Hochofen, Webstuhl und
Dampfkraft
Wälzte die Manufaktur um und Zunftwesen nun und
feudales
Eigentum wurden zu Fesseln der großen Erzeugung der
Güter
Und es erhob sich die Bourgeoisie und sprengte die Fesseln.
Freiheit des Wettbewerbs formte den Staatsbau der
Bourgeoisklasse.

So also seht ihr, wie hurrikangleich Produktivkräfte
aufstehn
Und Produktionsweisen, alte, für ewig gehaltne,
zertrümmern
Und wie mit Ungestüm die gestern noch dienenden Klassen
Jeden Besitzbrief zerreißen und lachen gealterten Vorrechts.
Auch der Gedanken Flug folgt solchen Stürmen; sie
zwingen Gedanken

Nieder zum Grund oder schwenken sie mächtig in andere
Flugbahn.
Recht ist nicht Recht mehr, Weisheit nicht weise, alles ist
anders.
Heilige Tempel, die tausend Frühlingen trotzten, zerfallen
Lautlos in Staub über Nacht, vom Tritt der Sieger
erschüttert
Und in den stehengebliebenen wechseln die Götter ihr
Antlitz;
Wundersam gleichen die alten jetzt plötzlich den jetzigen
Herrschern.
Große Veränd'rung wirken neue erzeugende Kräfte.
Tödlich herauf gegen sich, die zur Herrschaft von Stürmen
getragen
Sieht nun die Bourgeoisie die gewaltsamen Stürme sich
sammeln.

Als diese Klasse mit neuem Besitzbrief nämlich und
Vorrecht
Nun erzeugende Kräfte, niemals erahnte, hervorgehext hatte
Glich sie dem Zauberer, der die unterirdischen Mächte
Die er so heraufbeschworen, nicht zu bändigen wußte.
Stauwasser gleich, das die Saaten befruchtet, dann aber
nicht haltend
Ganz sie ersäuft, so bedrohn Produktivkräfte, immerfort
wachsend
Immerfort mehrend die Macht dieser Klasse so, weiter noch
wachsend
Sie mit dem völligen Untergang. Wie es die Klassiker
zeigen.

Lange schon ist die Geschichte der Großindustrie und des
Handels

Nur die Geschichte des Aufruhrs der Güter erzeugenden
Kräfte
Gegen den Bourgoisbesitz und die Bourgeoisart, Güter zu
schaffen.
Riesige Krisen, in zyklischer Wiederkehr, gleichend
enormen
Sichtlos tappenden Händen, greifen und drosseln den
Handel
Schüttelnd in schweigender Wut Produktionsstätte, Märkte
und Heime.
Hunger von alters plagte die Welt, wenn die Kornkammer
leer war
Jetzt aber, keiner versteht es, hungern wir, wenn sie zu voll
ist.
Nichts in der Speise mehr finden die Mütter, die Mäulchen
zu füllen
Und hinter Mauern, in turmhohen Speichern gehäuft, fault
das Korn weg.
Irgendwo türmt sich in Ballen das Tuch, aber frierend
durchzieht die
Lumpenverhüllte Familie, von heute auf morgen geworfen
Aus dem gemieteten Heim, die Wohnviertel ohne Bewohner.
Ach, der so rastlos gearbeitet, fluchend der Ausbeutung,
findet
Heute schon keinen mehr, der ihn noch ausbeutet; rastlos
durchquert er
Suchend nach Arbeit die Stadt. Der gigantische Bau der
Gesellschaft
Teuer, mit so vieler Mühe errichtet, von vielen
Geschlechtern
Sinkt in barbarische Vorzeit zurück. Und es ist nicht der
Mangel

Der da die Schuld trägt, Überfluß ist's, das Zuviel macht ihn
wanken.

Nicht zum Wohnen bestimmt ist das Haus, das Tuch nicht
zum Kleiden
Noch ist das Brot nur zum Essen bestimmt; Gewinn soll es
tragen.
Wenn das Erzeugnis jedoch nur gebraucht und nicht auch
gekauft wird
Weil der Lohn des Erzeugers zu klein ist – und macht man
ihn größer
Lohnt es nicht mehr, das Zeug erzeugen zu lassen –, wozu
dann noch Hände
Mieten? Sie müssen doch mehr an der Werkbank leisten als
eben
Nur ihren Mann und die Seinen nähren und kleiden und
hausen
Wenn da Profit sein soll; nur – wo dann hin mit der Ware?
Und also
Wolle und Weizen, Kaffee und Früchte und Fische und
Schweine
Alles ins Feuer geopfert, den Gott des Profits zu erweichen!
Haufen von Maschinerie, das Werkzeug von Arbeiterheeren
Schiffswerft und Wollkämmereien, Hochöfen, Sägewerke,
Gruben
Alles zerstückt und geopfert, den Gott des Profits zu
erweichen!
Freilich ihr Gott des Profits ist mit Blindheit geschlagen.
Die Opfer
Sieht er nicht. Er ist unwissend. Beratend die Gläubigen,
murmelt
Unverständliches er. Das Gesetz der Wirtschaft enthüllt sich

Wie der Schwerkraft Gesetz, wenn über den Köpfen das
                                        Haus uns
Krachend zusammenfällt. Panisch zerhackt unsre
                                        Bourgeoisie so
Die eigenen Haufen von Gütern und rast mit den Resten
                                        verzweifelt
Über die Erdkugel hin nach neuen, gewaltigern Märkten
Gleichend dem Mann, der, die Pest fliehend, diese nur
                                        mitnimmt und so den
Zufluchtsort auch noch verpestet: in neuen, gewaltigern
                                        Krisen
Kommt sie entgeistert zu sich. Den Millionen der Arbeiter
                                        aber
Die sie befehligt als riesige Heere und planlos herumtreibt
Jetzt in Schwitzbuden verpackt und dann aus den
                                        Schwitzbuden wieder
Barsch auf die eisigen Straßen wirft, dämmert die Wahrheit,
                                        sie raunen
Staunend sich's zu, daß der Bourgeoiswelt Tage gezählt sind
Da sie den Reichtum zu fassen noch, den sie erzeugt hat, zu
                                        eng wurd
Da sie, sich ständig vergrößernd, nur ständig ihr Elend
                                        vergrößert.

Gegen die Bourgeoisie aber richten sich jetzt die Waffen
Die sie so tödlich schwang, die feudale Welt zu zertrümmern –
Hat doch auch sie eine Klasse erzeugt, die die tödlichen
                                        Waffen
Gegen sie führt; seit Anbeginn nämlich, ihr dienend
Wuchs mit der Bourgeoisie auch das Proletariat der modernen
Arbeiter, lebend durch Arbeit, und Arbeit nur findend,
                                        solang sie
Arbeitend für den Bourgeois des Bourgeois Güter vermehren.

So wie der Kapitalist seine Ware verkauft, so verkauft denn
Auch der Prolet seine Ware, die Arbeitskraft; unterworfen
Darum dem Wettbewerb und der ewigen Schwankung des
Marktes.
Zubehör nur der Maschine, verkauft er den einfachen
Handgriff
Kostend nur, was sein Unterhalt kostet und als er benötigt
Fortzupflanzen und aufzuziehn seine nützliche Rasse
Da ja der Preis der Arbeitskraft wie der Preis jeder anderen
Ware entspricht dem Preis der Gestehung. Die winzige
Werkstatt
Alten Handwerks wurde zur großen Fabrik und soldatisch
befehligt
Arbeiten Arbeiter, Knechte des Bourgeoisstaats, aber auch
Knechte
Eines bestimmten Bourgeois, seiner Aufseher und der
Maschine.

Tausendfach aufgeteilt ist ihre Arbeit. Sie machen ihr
Stückchen.
Tötend den Geist und ermüdend den Muskel verrinnen die
Stunden.
Was noch der einstige Handwerker sah, das Produkt seiner
Hände
Diese da sehen es nicht mehr, die Schuhe nicht, noch auch die
Pflugschar
Die sie da machen; sie stehn und sie fronen und machen ihr
Stückchen.
Geistloser wird ihre Arbeit, je geistvoller ihre Maschine
Aber sie wird auch nicht weniger: eiliger schwingen die
Räder.
Stetig verwickelter wird die Maschine, der Handgriff wird
leichter.

Billiger so wird die Arbeit und stärker der Wettbewerb.
Schwitzend
Stehn an der Werkbank Frauen und Kinder. Geschlecht da
und Alter
Zählen nicht mehr, Instrumente bloß noch und lebendige
Hebel
Kosten sie freilich verschieden, je nach Geschlecht und nach
Alter.

Haben sie aber dem Ausbeuter mehr als sie kosten gegeben
Sind in den sinkenden Händen die mageren Lohntüten,
warten
Schon am Fabriktor auf sie die anderen Ausbeuterschwärme:
Über sie her fallen Pfandleiher, Hauswirte, Ärzte und
Krämer.

Freilich vollzieht sich ein Höllensturz auch dieser mittleren
Stände.
Kaufmann, Bauern und Handwerker sinken ins Proletariat ab
Teils weil ihr kleines Vermögen für neue Maschinen nicht
ausreicht
Sei's weil Entwertung den Spargroschen auffrißt, und teils
weil die neuen
Fabrikationsweisen ihre Geschicklichkeit nicht mehr
erheischen.
Alle so sehn sich vertrieben aus Schreibstube, Werkstatt
und Scheuer
Früh oder spät und sie werden Rekruten im Arbeiterheere.

Aber ohn Unterlaß zwischen dem Heer und den Führern
des Heeres
Tobte ein Krieg, zwischen Eignern des Werkzeugs und
Eignern der Hände

Und es entstand dieser Krieg der zwei Klassen mit ihrer
Entstehung.

Einzelne Arbeiter erst, dann die Arbeiter einer Fabrik
und
Arbeiter dann eines örtlichen Arbeitszweigs stemmten sich
gegen
Ihre Bourgeois, sie zerstörten in blinder Erregung oft
fremde
Und konkurrierende Waren, zerschlugen Maschinen und
warfen
Feuer in ihre Fabriken, so von sich zu schütteln die neue
Tiefere Knechtschaft, zurückzuerobern die alte feudale
Aufzuhalten, erschöpft und verzweifelt und ohne Besinnung
Den sie doch selber geschmiedet, den eisernen Zeiger der
Weltuhr.

Noch sind verstreut übers Land die Proleten, noch sind sie
nicht einig.
Wettbewerb unter sich selber entzweit sie; sie werden
vereinigt
Erst, wenn die Bourgeoisie sich vereinigt und ausmacht, das
ganze
Proletariat in Bewegung zu setzen und zwar gegen ihren
Klassenfeind. So, im Beginne bekämpft der Prolet nicht den
eignen
Sondern den Feind seines Feindes: Monarchen und Junker
und Gilde;
Noch nämlich flattert die alles versprechende Fahne des
Fortschritts
Über der Bourgeoisie und so jeglicher Sieg ist noch ihr Sieg.

Jeglicher Sieg aber festigt den Grund auch der anderen
Klasse
Die sie zum Siegen braucht: es wachsen die Großindustrieen
Ballend das Proletariat zu immer gewaltigern Massen.
Mehr und mehr gleicht ein Prolet auch dem andern: wer
findet die Welle
Noch in dem grauen, reißenden Strom? Was einzelne einmal
Kurz unterschied, ob Geschicktheit, ob Fleiß – die
Maschine verwischt es.
Das wieder macht ihre Löhne gleich, die aber sinken durch
Krisen
Oder versiegen ganz, wenn die Arbeit versiegt. Und dies
alles
Peinigt sie alle. Wenn nunmehr Prolet und Bourgeois sich
bekriegen
Kämpfen zwei Klassen. Die Arbeiter bilden jetzt Koalitionen
Die ihre Löhne verteidigen. Offene Kämpfe beginnen.

Dann und wann siegen die Arbeiter, doch nur für kurz
dann. In dieser
Zeit geht die örtliche Schlacht oft verloren, zu der sie sich
einten
Aber die Einheit bleibt. Und sie bleibt nicht lang örtlich.
Die Örter
Neuerdings kommunizieren durch Eisenbahn und
Telegraph, und
Schnell werden örtliche Schlachten zu nationalen. Als Klasse
Kämpfen die Arbeiter nun den politischen Kampf. Und die
Klasse
Oftmals gesprengt durch der Arbeiter Wettkampf unter sich
selber
Immer aufs neue geeint durch neue gemeinsame Kämpfe

Greift nach dem Griffel der Bourgeoisjustiz und ertrotzt sich
          Gesetze
Abzuzwacken dem Arbeitstag ein Stündlein, Frauen und
          Kinder entreißend dem frechsten
Ausbeutergriff und beschirmend die Arbeiterkoalitionen.
Aber sie weiß und, vergißt sie's, wird sie erinnert durch
          Schläge
Brechen muß sie am Ende und nicht nur selbst führen den
          Griffel.

Vieles gewinnt diese neueste Klasse vom Zwiste der alten
Die sich noch immer in Haaren liegen. Die Bourgeoisie
          kämpft noch immer
Gegen den adligen Grundbesitz und seine Diener im Staate.
Auch ist sie selber zerstritten, die Walze des Fortschritts
          rollt tödlich
Auch über Teile der Bourgeoisie und vor allem und immer
Kämpft sie doch gegen die Bourgeoisien der anderen Länder.
All diese Kämpfe erheischen den Mitkampf des
          Proletariates.
So muß sie selber ihr Proletariat aufs politische Kampffeld
Reißen, damit es ihr hilft, ihren Feind muß sie selber
          bewaffnen.
Immerfort sinken auch, Opfer des Fortschritts, ins
          Proletariat ab
Alle die mittleren Schichten und selber zermahlen,
          vergrößern
Sie doch Gewicht noch und Plastizität der aufsteigenden
          Klasse.

Ferner, wie einzelne Adlige übergegangen zur jungen
Adelbekämpfenden Bourgeoisie, so verlassen jetzt manche

Diese, ein Schiff, nicht sinkend noch, doch kompaßlos und
gefüllt mit
Wild sich zerfleischender Mannschaft, bringend ihr Können
und Wissen.
Angelernt ist schon das Proletariat. Seine Ausbeuter mußten
Schulen ihm baun, denn die Ausbeutung an der Maschine
erfordert
Bessere Schulung des Volks, und so wurd es in Schulen
gezwungen.
Spärliches Wissen erhielt es, verfälschtes zumeist, aber
Wissen
Doch von der Welt des Wissens und Durst nach eigenem
Wissen.

Zorniges Schelten vernähme ein Harun al Raschid am
Markte.
Dorten verteidigen wild die verarmenden Ladenbesitzer
Nebst den Besitzern der kleineren Quetschen, die
Handwerker, Bauern
Kämpfend mit Zähnen und Nägeln, ihr kleines bedrohtes
Besitztum.
Hitzig verurteilt der Schreiner die Möbelfabrik und der
Bauer
Flucht dem Traktor, und jeder beklagt den Verfall unsrer
Sitten.
Aber sie alle sind nicht für den Umsturz des Baus der
Gesellschaft
Sondern sie wehren sich nur gegen einen vollzogenen
Umsturz
In der Erzeugung der Güter – schüttelnd zerschmetterte
Fäuste.
Was da so ruchlos hinwegschreitet über sie, das ist der
Fortschritt.

Wären sie wirkliche Umstürzler da – und einige sind es –
Handelten sie als Proleten von morgen, vergessend das
                    Heute
Also vom Standpunkt des Proletariats, nicht vom
                    Kleinbürgerstandpunkt.

Auch der tatlos faulende Mob unsrer Städte, gebildet
Aus der Verfaulung unterster Schichten der alten
                    Gesellschaft
Oft durch die Revolution in die Reihn der Proleten gerissen
Ist nur Opfer, nicht Gegner der Bourgeoisie, und sie kauft
                    ihn
Leicht als viehischen Knecht, die Proleten niederzuschlagen.

So ist die einzige Klasse, die Bourgeoisie zu besiegen
Und ihren Fessel gewordenen Staat zu zertrümmern
                    befähigt, von allen
Nur die Arbeiterklasse. Sie ist es durch Wuchs und durch
                    Lage.

Denn, was das Dasein verbürgt in der alten Gesellschaft,
                    ist völlig
Abgeschafft und vernichtet im Dasein des Proletariates.
Eigentumslos und zu Weib und Kind nicht mehr Haupt
                    und Versorger
Fast schon erkennbar nicht mehr nach Nation und nach
                    Heimat, weil gleiche
Knechtschaft an gleicher Maschine ihn zeichnen von Essen
                    bis Kanton
Steht der Prolet vor Moral und Religion wie vor
                    Fatamorganen
Spiegelnd ihm, ferne und unerreichbar, Paradiese in
                    Wüsten.

Andere Klassen, die Herrschaft erobernd, beschirmten
                    Erworbnes
Wenn sie ihre Art des Erwerbs der Gesellschaft diktierten.
Diese erobert die gütererzeugenden Anlagen nur durch
Völlige Abschaffung ihrer Erwerbsart. Sie hat nichts zum
                    Sichern.
Alle persönliche Sich'rung muß sie so vielmehr zerstören.

Berge von Maschinerie, hinter Zaun und Mauer, und
                    besser
Noch von Gesetzen beschirmt, und drüben Millionen
                    Proleten
Schrecklich getrennt durch Mauer und Zaun von den
                    Mitteln zur Arbeit
Und die Gesetze des Staats, jeder einzelne mietbar für
                    Stunden
All diese Maschinerie zu betreiben, wie Wasserkraft mietbar
Oder elektrischer Strom für den Preis der Gestehung, doch
                    auch nur
Wenn jener Gott des Profits nickt, der blinde und tolle, der
                    Spieler.

Immer beruhte der Herrschenden Herrschaft darauf, daß
                    die Untern
Von ihrem Schuften doch lebten: die Ausbeutung war ihnen
                    sicher.
Aber die Bourgeoisie jetzt vermag ihrem Sklaven nicht
                    einmal
Sklavisches Leben zu sichern. Anstatt sich ernähren zu
                    lassen
Von ihrem Proletariat, muß sie dieses ernähren. Sie braucht es

Kann es jedoch nicht gebrauchen und macht es doch größer
und größer.
Und es obsiegt die Entmenschtheit und zeichnet so Opfer
wie Opfrer.
Chaos erzeugen die Pläne der Bourgeoisie, je mehr Pläne
Desto mehr Chaos. Und Mangel entspringt aus Erzeugung,
wo sie herrscht.
Tödlich geworden der riesigen Mehrzahl, so ist ihre Regel.
Nicht mehr zu leben vermag unter ihr die Gesellschaft. Die
neue
Klasse, das Proletariat, wird sie stürzen, das selber sie
aufzog:
Selber mußte sie aufziehn das riesige, das ihr das Grab gräbt.

Seine ist die Bewegung der Mehrzahl, und würde es
herrschen
Wär es nicht Herrschaft mehr, sondern die Knechtung von
Herrschaft.
Nur Unterdrückung würd da unterdrückt, denn das
Proletariat muß
Unterste Schicht der Gesellschaft, um sich zu erheben, den
ganzen
Bau der Gesellschaft zertrümmern mit all seinen oberen
Schichten.
Abschütteln kann es die eigene Knechtschaft nur
abschüttelnd alle
Knechtschaft aller.

DER ANACHRONISTISCHE ZUG
ODER
FREIHEIT UND DEMOCRACY

Frühling wurd's in deutschem Land.
Über Asch und Trümmerwand
Flog ein erstes Birkengrün
Probweis, delikat und kühn

Als von Süden, aus den Tälern
Herbewegte sich von Wählern
Pomphaft ein zerlumpter Zug
Der zwei alte Tafeln trug.

Mürbe war das Holz von Stichen
Und die Inschrift sehr verblichen
Und es war so etwas wie
Freiheit und Democracy.

Von den Kirchen kam Geläute.
Kriegerwitwen, Fliegerbräute
Waise, Zittrer, Hinkebein –
Offnen Maules stand's am Rain.

Und der Blinde frug den Tauben
Was vorbeizog in den Stauben
Hinter einem Aufruf wie
Freiheit und Democracy.

Vornweg schritt ein Sattelkopf
Und er sang aus vollem Kropf:

»Allons, enfants, god save the king
Und den Dollar, kling, kling, kling.«

Dann in Kutten schritten zwei
Trugen 'ne Monstranz vorbei.
Wurd die Kutte hochgerafft
Sah hervor ein Stiefelschaft.

Doch dem Kreuz dort auf dem Laken
Fehlen heute ein paar Haken
Da man mit den Zeiten lebt
Sind die Haken überklebt.

Drunter schritt dafür ein Pater
Abgesandt vom Heiligen Vater
Welcher tief beunruhigt
Wie man weiß, nach Osten blickt.

Dicht darauf die Nichtvergesser
Die für ihre langen Messer
Stampfend in geschlossnen Reihn
Laut nach einer Freinacht schrein.

Ihre Gönner dann, die schnellen
Grauen Herrn von den Kartellen:
Für die Rüstungsindustrie
Freiheit und Democracy!

Einem impotenten Hahne
Gleichend, stolzt ein Pangermane
Pochend auf das freie Wort.
Es heißt Mord.

Gleichen Tritts marschiern die Lehrer
Machtverehrer, Hirnverheerer
Für das Recht, die deutsche Jugend
Zu erziehn zur Schlächtertugend.

Folgen die Herrn Mediziner
Menschverächter, Nazidiener
Fordernd, daß man ihnen buche
Kommunisten für Versuche.

Drei Gelehrte, ernst und hager
Planer der Vergasungslager
Fordern auch für die Chemie
Freiheit und Democracy.

Folgen, denn es braucht der Staat sie
Alle die entnazten Nazi
Die als Filzlaus in den Ritzen
Aller hohen Ämter sitzen.

Dort die Stürmerredakteure
Sind besorgt, daß man sie höre
Und nicht etwa jetzt vergesse
Auf die Freiheit unsrer Presse.

Einige unsrer besten Bürger
Einst geschätzt als Judenwürger
Jetzt geknebelt, seht ihr schreiten
Für das Recht der Minderheiten.

Früherer Parlamentarier
In den Hitlerzeiten Arier

Bietet sich als Anwalt an:
Schafft dem Tüchtigen freie Bahn!

Und der schwarze Marketier
Sagt, befraget: Ich marschier
Auf Gedeih (und auf Verderb)
Für den Freien Wettbewerb.

Und der Richter dort: zur Hetz
Schwenkt er frech ein alt Gesetz.
Mit ihm von der Hitlerei
Spricht er sich und alle frei.

Künstler, Musiker, Dichterfürsten
Schrei'nd nach Lorbeer und nach Würsten
All die Guten, die geschwind
Nun es nicht gewesen sind.

Peitschen klatschen auf das Pflaster:
Die SS macht es für Zaster
Aber Freiheit braucht auch sie
Freiheit und Democracy.

Und die Hitlerfrauenschaft
Kommt, die Röcke hochgerafft
Fischend mit gebräunter Wade
Nach des Erbfeinds Schokolade.

Spitzel, Kraft-durch-Freude-Weiber
Winterhelfer, Zeitungsschreiber
Steuer-Spenden-Zins-Eintreiber
Deutsches-Erbland-Einverleiber

Blut und Dreck in Wahlverwandtschaft
Zog das durch die deutsche Landschaft
Rülpste, kotzte, stank und schrie:
Freiheit und Democracy!

Und kam, berstend vor Gestank
Endlich an die Isarbank
Zu der Hauptstadt der Bewegung
Stadt der deutschen Grabsteinlegung.

Informiert von den Gazetten
Hungernd zwischen den Skeletten
Seiner Häuser stand herum
Das verstörte Bürgertum.

Und als der mephitische Zug
Durch den Schutt die Tafeln trug
Treten aus dem Braunen Haus
Schweigend sechs Gestalten aus

Und es kommt der Zug zum Halten.
Neigen sich die sechs Gestalten
Und gesellen sich dem Zug
Der die alten Tafeln trug.

Und sie fahrn in sechs Karossen
Alle sechs Parteigenossen
Durch den Schutt, und alles schrie:
Freiheit und Democracy!

Knochenhand am Peitschenknauf
Fährt die Unterdrückung auf.

In 'nem Panzerkarr'n fährt sie
Dem Geschenk der Industrie.

Groß begrüßt, in rostigem Tank
Fährt der Aussatz. Er scheint krank.
Schämig zupft er sich im Winde
Hoch zum Kinn die braune Binde.

Hinter ihm fährt der Betrug
Schwenkend einen großen Krug
Freibier. Müßt nur, draus zu saufen
Eure Kinder ihm verkaufen.

Alt wie das Gebirge, doch
Unternehmend immer noch
Fährt die Dummheit mit im Zug
Läßt kein Auge vom Betrug.

Hängend überm Wagenbord
Mit dem Arm, fährt vor der Mord.
Wohlig räkelt sich das Vieh
Singt: Sweet dream of liberty.

Zittrig noch vom gestrigen Schock
Fährt der Raub dann auf im Rock
Eines Junkers Feldmarschall
Auf dem Schoß einen Erdball.

Aber alle die sechs Großen
Eingeseßnen, Gnadelosen
Alle nun verlangen sie
Freiheit und Democracy.

Holpernd hinter den sechs Plagen
Fährt ein Riesentotenwagen
Drinnen liegt, man sieht's nicht recht:
's ist ein unbekannt Geschlecht.

Und ein Wind aus den Ruinen
Singt die Totenmesse ihnen
Die dereinst gesessen hatten
Hier in Häusern. Große Ratten

Schlüpfen aus gestürzten Gassen
Folgend diesem Zug in Massen.
Hoch die Freiheit, piepsen sie
Freiheit und Democracy!

GEDICHTE UND LIEDER
AUS STÜCKEN

Für den Film »Hangmen also Die«
(Auch Henker müssen sterben)

DAS LIDICELIED

Bruder, es ist Zeit
Bruder, sei bereit
Gib die unsichtbare Fahne weiter jetzt!
Im Sterben nicht anders als einstmals im Leben
Wirst du nicht, Genosse, dich diesen ergeben.
Heut bist du besiegt und drum bist du der Knecht
Doch der Krieg endet erst mit dem letzten Gefecht
Doch der Krieg endet nicht vor dem letzten Gefecht.

Bruder, es ist Zeit
Bruder, sei bereit
Gib die unsichtbare Fahne weiter jetzt!
Gewalt oder Recht und es schwanket die Waage
Doch der Knechtschaft Tag um, kommen andere Tage.
Heut bist du besiegt und drum bist du der Knecht
Doch der Krieg endet erst mit dem letzten Gefecht
Doch der Krieg endet nicht vor dem letzten Gefecht.

JOHANNA, TOCHTER FRANKREICHS

Johanna, Tochter Frankreichs, es muß etwas geschehn
Sonst muß das große Frankreich in zweien Wochen
       untergehn.
Drum hat Gott, der Herr, nach einer Hilfe herumgefragt
Und ist auf dich gekommen, seine kleine Magd.
Und hier ist eine Trommel, die schickt dir Gott
Damit weck du die Leut auf aus ihren Geschäften und
       Tagestrott.
Doch wisse, sie schallt nur, wenn du sie auf den Boden legst
Als ob du die französische Erde selber schlägst.
Trommel mir jetzt zusammen alt und jung, reich und arm
Daß Frankreichs Sohn sich Frankreichs erbarm.
Ruf die Seineschiffer, daß sie ihm ihre Kähne leihn.
Von den Bauern der Gironde braucht es Brot und Wein.
Die Kesselschmiede von Saint-Denis bauen ihm
       Schlachtkärren aus Eisen
Und die Zimmerleute von Lyon sollen dem Feind alle
       Brücken einreißen.
Sag ihnen, Frankreich, ihre Mutter, die sie im Leib getragen
Und die sie verhöhnt haben und haben ihr ins Gesicht
       geschlagen
Frankreich, die große Arbeiterin und Weintrinkerin
Braucht sie in der Gefahr. Geh sofort zu ihnen hin.

LIEDCHEN

Als ich ging nach Saint-Nazaire
Kam ich ohne Hosen.
Gab es gleich ein groß Geschrei:
Wo sind deine Hosen?
Sagt ich: Dicht vor Saint-Nazaire
Ist zu blau der Himmel
Und der Hafer ist zu hoch
Und zu blau der Himmel.

Wenn der Eroberer kommt in eure Stadt
Soll es sein, als ob er nichts erobert hat.
Keiner soll sein, der ihm einen Schlüssel ausliefer'.
Denn der kommt, ist kein Gast, er ist ein Geziefer.
Kein Mahl noch Tisch soll für ihn gerichtet sein
Bettstatt und Stuhl sollen für ihn vernichtet sein.
Was ihr nicht brennen könnt, sollt ihr verstecken
Ausschütten jeden Krug Milch und vergraben jeden Wecken.
Er soll schreien: Hilfe! Er soll heißen: Ungeheuer.
Er soll essen: Erde. Er soll wohnen: im Feuer.
Er soll erflehen: kein Erbarmen keines Gerichts.
Eure Stadt soll sein gewesen, unerinnerbar, Nichts.
Wo er hinschaut, sei nichts, wo er hintritt, sei Leere
So als ob da nie eine Gaststätte gewesen wäre.

Aus: Schweyk im zweiten Weltkrieg

DAS LIED VOM KLEINEN WIND

Eil, Liebster, zu mir, teurer Gast
Wie ich kein teurern find
Doch wenn du mich im Arme hast
Dann sei nicht zu geschwind.
   Nimm's von den Pflaumen im Herbste
   Wo reif zum Pflücken sind
   Und haben Furcht vorm mächtigen Sturm
   Und Lust aufn kleinen Wind.
   So'n kleiner Wind, du spürst ihn kaum
   's ist wie ein sanftes Wiegen.
   Die Pflaumen wolln ja so vom Baum
   Wolln aufm Boden liegen.

Ach, Schnitter, laß es sein genug
Laß, Schnitter, ein Halm stehn!
Trink nicht dein Wein auf einen Zug
Und küß mich nicht im Gehn.
   Nimm's von den Pflaumen im Herbste
   Wo reif zum Pflücken sind
   Und haben Furcht vorm mächtigen Sturm
   Und Lust aufn kleinen Wind.
   So'n kleiner Wind, du spürst ihn kaum
   's ist wie ein sanftes Wiegen.
   Die Pflaumen wolln ja so vom Baum
   Wolln aufm Boden liegen.

LIED VON DER ZUBEREITUNG
DES SCHWARZEN RETTICHS

Am besten einen von den schwarzen, großen.
Sag zu ihm freudig: »Bruder, du mußt raus!«
Doch zieh den Bruder lieber nicht mit bloßen
Pratzen aus.
    Nimm einen Handschuh, denn der Rettich lebt in Dreck
    Vor dem Haus. Er muß weg.
    Raus.

Du kannst ihn dir auch kaufen (für ein' Nickel)
Doch wie gesagt, er muß gewaschen sein.
Wenn er geschnitten is in kleine Stickel
Salz ihn ein.
    Reib's in die Wunde, daß er merkt, daß ihm nichts nitzt.
    Salz hinein! Bis er schwitzt.
    Salz ihn ein!

DAS LIED VON DER MOLDAU

Am Grunde der Moldau wandern die Steine
Es liegen drei Kaiser begraben in Prag.
Das Große bleibt groß nicht und klein nicht das Kleine.
Die Nacht hat zwölf Stunden, dann kommt schon der Tag.

Es wechseln die Zeiten. Die riesigen Pläne
Der Mächtigen kommen am Ende zum Halt.
Und gehn sie einher auch wie blutige Hähne
Es wechseln die Zeiten, da hilft kein' Gewalt.

Am Grunde der Moldau wandern die Steine
Es liegen drei Kaiser begraben in Prag.
Das Große bleibt groß nicht und klein nicht das Kleine.
Die Nacht hat zwölf Stunden, dann kommt schon der Tag.

LIED VOM KELCH

Komm und setz dich, lieber Gast
Setz dich uns zu Tische
Daß du Supp und Krautfleisch hast
Oder Moldaufische.
    Brauchst ein bissel was im Topf
    Mußt ein Dach habn übern Kopf
    Das bist du als Mensch uns wert
    Sei geduldet und geehrt
    Für nur 80 Heller.

Referenzen brauchst du nicht
Ehre bringt nur Schaden
Hast ein' Nase im Gesicht
Und wirst schon geladen.
    Sollst ein bissel freundlich sein
    Witz und Auftrumpf brauchst du kein'
    Iß dein' Käs und trink dein Bier
    Und du bist willkommen hier
    Und die 80 Heller.

Einmal schaun wir früh hinaus
Ob's gut Wetter werde
Und da wurd ein gastlich Haus
Aus der Menschenerde.
    Jeder wird als Mensch gesehn
    Keinen wird man übergehn
    Ham ein Dach gegn Schnee und Wind
    Weil wir arg verfroren sind
    Auch mit 80 Heller!

Aus: Der kaukasische Kreidekreis

O BLINDHEIT DER GROSSEN!

O Blindheit der Großen! Sie wandeln wie Ewige
Groß auf gebeugten Nacken, sicher
Der gemieteten Fäuste, vertrauend
Der Gewalt, die so lang schon gedauert hat.
Aber lang ist nicht ewig.
O Wechsel der Zeiten! Du Hoffnung des Volks!

WENN DAS HAUS EINES GROSSEN
ZUSAMMENBRICHT

Wenn das Haus eines Großen zusammenbricht
Werden viele Kleine erschlagen.
Die das Glück der Mächtigen nicht teilten
Teilen oft ihr Unglück. Der stürzende Wagen
Reißt die schwitzenden Zugtiere
Mit in den Abgrund.

Geh du ruhig in die Schlacht, Soldat
Die blutige Schlacht, die bittere Schlacht
Aus der nicht jeder wiederkehrt:
Wenn du wiederkehrst, bin ich da.
Ich werde warten auf dich unter der grünen Ulme
Ich werde warten auf dich unter der kahlen Ulme
Ich werde warten, bis der Letzte zurückgekehrt ist
Und danach.

Kommst du aus der Schlacht zurück
Keine Stiefel stehen vor der Tür
Ist das Kissen neben meinem leer
Und mein Mund ist ungeküßt
Wenn du wiederkehrst, wenn du wiederkehrst
Wirst du sagen können: alles ist wie einst.

I

Vier Generäle
Zogen nach Iran.
Der erste führte keinen Krieg
Der zweite hatte keinen Sieg
Dem dritten war das Wetter zu schlecht
Dem vierten kämpften die Soldaten nicht recht.
Vier Generäle
Und keiner kam an.

Sosso Robakidse
Marschierte nach Iran.
Er führte einen harten Krieg
Er hatte einen schnellen Sieg
Das Wetter war ihm gut genug
Und sein Soldat sich gut genug schlug.
Sosso Robakidse
Ist unser Mann.

Da dich keiner nehmen will
Muß nun ich dich nehmen
Mußt dich, da kein andrer war
Schwarzer Tag im magern Jahr
Halt mit mir bequemen.

Weil ich dich zu lang geschleppt
Und mit wunden Füßen
Weil die Milch so teuer war
Wurdest du mir lieb.
(Wollt dich nicht mehr missen.)

Werf dein feines Hemdlein weg
Wickle dich in Lumpen
Wasche dich und taufe dich
Mit dem Gletscherwasser.
(Mußt es überstehen.)

III

Tief ist der Abgrund, Sohn
Brüchig der Steg
Aber wir wählen, Sohn
Nicht unsern Weg.

Mußt den Weg gehen
Den ich weiß für dich
Mußt das Brot essen
Das ich hab für dich.

Müssen die paar Bissen teilen
Kriegst von vieren drei
Aber ob sie groß sind
Weiß ich nicht dabei.

IV

Dein Vater ist ein Räuber
Deine Mutter ist eine Hur
Und vor dir wird sich verbeugen
Der ehrlichste Mann.

Der Sohn des Tigers
Wird die kleinen Pferde füttern
Das Kind der Schlange
Bringt Milch zu den Müttern.

ZIEH INS FELD
ICH TRAURIG MEINER STRASSEN

Zieh ins Feld ich traurig meiner Straßen
Mußt zu Hause meine Liebste lassen.
Solln die Freunde hüten ihre Ehre
Bis ich aus dem Felde wiederkehre.

Wenn ich auf dem Kirchhof liegen werde
Bringt die Liebste mir ein' Handvoll Erde.
Sagt: Hier ruhn die Füße, die zu mir gegangen
Hier die Arme, die mich oft umfangen.

RAT AN DEN LIEBSTEN,
DER IN DEN KRIEG ZIEHT

Liebster mein, Liebster mein
Wenn du nun ziehst in den Krieg
Wenn du nun fichtst gegen die Feinde
Stürz dich nicht vor den Krieg
Und fahr nicht hinter dem Krieg
Vorne ist rotes Feuer
Hinten ist roter Rauch.
Halt dich in des Krieges Mitten
Halt dich an den Fahnenträger.
Die ersten sterben immer
Die letzten werden auch getroffen
Die in der Mitten kommen nach Haus.

Die Schlacht fing an im Morgengraun, wurde blutig am
  Mittag.
Der Erste fiel vor mir, der Zweite fiel hinter mir, der Dritte
  neben mir.
Auf den Ersten trat ich, den Zweiten ließ ich, den Dritten
  durchbohrte der Hauptmann.
Mein einer Bruder starb an einem Eisen, mein andrer Bruder
  starb an einem Rauch.
Feuer schlugen sie aus meinem Nacken, meine Hände
  gefroren in Handschuhen, meine Zehen in den Strümpfen.
Gegessen hab ich Espenknospen, getrunken hab ich
  Ahornbrühe, geschlafen hab ich auf Steinen, im Wasser.

LIED VOM KRIEG

Warum bluten unsere Söhne nicht mehr, weinen unsere
Töchter nicht mehr?
Warum haben Blut nur mehr die Kälber im Schlachthaus?
Warum Tränen nur mehr gegen Morgen die Weiden am
Urmisee?

Der Großkönig muß eine neue Provinz haben, der Bauer
muß sein Milchgeld hergeben.
Damit das Dach der Welt erobert wird, werden die
Hüttendächer abgetragen.
Unsere Männer werden in alle vier Winde verschleppt, damit
die Oberen zu Hause tafeln können.
Die Soldaten töten einander, die Feldherrn grüßen einander.
Der Witwe Steuergroschen wird angebissen, ob er echt ist.
Die Schwerter zerbrechen.
Die Schlacht ist verloren, aber die Helme sind bezahlt
worden.

Die Ämter sind überfüllt, die Beamten sitzen bis auf die
Straße.
Die Flüsse treten über die Ufer und verwüsten die Felder.
Die ihre Hosen nicht selber runterlassen können, regieren
Reiche.
Sie können nicht auf vier zählen, fressen aber acht Gänge.
Die Maisbauern blicken sich nach Kunden um, sehen nur
Verhungerte.
Die Weber gehen von den Webstühlen in Lumpen.

Darum bluten unsere Söhne nicht mehr, weinen unsere
Töchter nicht mehr.
Darum haben Blut nur mehr die Kälber im Schlachthaus.
Tränen nur mehr gegen Morgen die Weiden am Urmisee.

LIED VOM AZDAK

Als die großen Feuer brannten
Und in Blut die Städte standen
Aus der Tiefe krochen Spinn und Kakerlak.
Vor dem Schloßtor stand ein Schlächter
Am Altar ein Gottverächter
Und es saß im Rock des Richters der Azdak.

Ach, was willig, ist nicht billig
Und was teuer, nicht geheuer
Und das Recht ist eine Katze im Sack.
Darum bitten wir 'nen Dritten
Daß er schlichtet und's uns richtet
Und das macht uns für 'nen Groschen der Azdak.

Als die Obern sich zerstritten
War'n die Untern froh, sie litten
Nicht mehr gar so viel Gibher und Abgezwack.
Auf Grusiniens bunten Straßen
Gut versehn mit falschen Maßen
Zog der Armeleuterichter, der Azdak.

Und er nahm es von den Reichen
Und er gab es seinesgleichen
Und sein Zeichen war die Zähr aus Siegellack.
Und beschirmet von Gelichter
Zog der gute schlechte Richter
Mütterchen Grusiniens, der Azdak.

Kommt ihr zu dem lieben Nächsten
Kommt mit gut geschärften Äxten
Nicht entnervten Bibeltexten und Schnickschnack!
Wozu all der Predigtplunder
Seht, die Äxte tuen Wunder
Und mitunter glaubt an Wunder der Azdak.

Und so brach er die Gesetze
Wie ein Brot, daß es sie letze
Bracht das Volk ans Ufer auf des Rechtes Wrack.
Und die Niedren und Gemeinen
Hatten endlich, endlich einen
Den die leere Hand bestochen, den Azdak.

Siebenhundertzwanzig Tage
Maß er mit gefälschter Waage
Ihre Klage, und er sprach wie Pack zu Pack.
Auf dem Richterstuhl, den Balken
Über sich von einem Galgen
Teilte sein gezinktes Recht aus der Azdak.

LIED VOM CHAOS

Schwester, verhülle dein Haupt, Bruder, hole dein Messer,
   die Zeit ist aus den Fugen.
Die Vornehmen sind voll Klagen und die Geringen voll
   Freude.
Die Stadt sagt: Laßt uns die Starken aus unserer Mitte
   vertreiben.
In den Ämtern wird eingebrochen, die Listen der
   Leibeigenen werden zerstört.
Die Herren hat man an die Mühlsteine gesetzt. Die den Tag
   nie sahen, sind herausgegangen.
Die Opferkästen aus Ebenholz werden zerschlagen, das
   herrliche Sesnemholz zerhackt man zu Betten.
Wer kein Brot hatte, der hat jetzt Scheunen, wer sich
   Kornspenden holte, läßt jetzt selber austeilen.
(Wo bleibst du, General? Bitte, bitte, bitte, schaff Ordnung!)

Der Sohn des Angesehenen ist nicht mehr zu erkennen; das
   Kind der Herrin wird zum Sohn ihrer Sklavin.
Die Ratsherrn suchen schon Obdach im Speicher; wer kaum
   auf den Mauern nächtigen durfte, räkelt jetzt sich im Bett.
Der sonst das Boot ruderte, besitzt jetzt Schiffe; schaut ihr
   Besitzer nach ihnen, so sind sie nicht mehr sein.
Fünf Männer sind ausgeschickt von ihren Herren. Sie sagen:
   Geh jetzt selber den Weg, wir sind angelangt.
(Wo bleibst du, General? Bitte, bitte, bitte, schaff Ordnung!)

Ginge es in goldnen Schuhn
Träte es mir auf die Schwachen
Und es müßte Böses tun
Und könnte mir lachen.

Ach, zum Tragen, spät und frühe
Ist zu schwer ein Herz aus Stein
Denn es macht zu große Mühe
Mächtig tun und böse sein.

Wird es müssen den Hunger fürchten
Aber die Hungrigen nicht.
Wird es müssen die Finsternis fürchten
Aber nicht das Licht.

Zu: Die Herzogin von Malfi

ALS WIR KAMEN VOR MILANO

Als wir kamen vor Milano
Haben wir nach Haus geschrieben:
Dieser Krieg, Leut, endet schon.
Denn der Hauptmann war gefallen
Und die Feldküch war verschollen
Und verschossen die Munition.
  Als der Krieg fünf Jahr gedauert
  Kam kein Wörtlein von der Frau mehr
  Und das wundert keinen groß.
  Oft, wenn mir mein Wein vermessen
  Sah ich sie: sie ist gesessen
  Jetzt auf eines andern Schoß.

Als wir enterten Milano
Brannten wir's von vorn nach hinten
Und von hinten dann nach vorn.
Haben sieben Tag geschwogen
Weiber alt und jung verzogen
Denn so groß war unser Zorn.
  Denn wie lang wird sie schon warten
  Wenn die hellen Nächte kommen und der laue
                  Frühjahrswind?
  Wie lang, sagt sie, soll ich wachen
  Einer muß es mir doch machen –
  Fleischlich wie die Weiber sind.

Als wir zogen von Milano
Hob der Feldzug an aufs neue
In der Ferne bleiben wir.
Wieviel Hur'n wer'n wir noch winken
Wieviel Fäßlein Wein noch trinken?
Mindestens drei oder vier.

EINMAL UNTER VIELEN MALEN

Einmal unter vielen Malen
Vergißt das Schicksal die Glücklichen
Ausbleibt der giftgeschwollene Brief
Der Mord verspätet sich
Wie in einer goldenen Staubwolke verborgen
Leben die Liebenden dahin.

Aber vielleicht weiß das Schicksal alles
Wünscht nur eine unsichere Hand zu zeigen und fügt
Zögernd sieben glückliche Jahre hinzu, nimmt unschlüssig
Zwei wieder weg.

Aus: Die Reisen des Glücksgotts
(Opernfragment)

ARIE DES GLÜCKSGOTTS

Bruder, du machst meine Augen naß
Ich seh, dein Leben ist kein Spaß.
Hier ist ein Apfel, schau, ich habe drei
So kann ich dir einen geben.
Da seh ich nichts Übertriebnes dabei:
Wir können beide leben.
Nur versprich mir, daß du die Kerne
In deiner Gier nicht schluckst
Sondern sie, vor ich mich entferne
In die Erde spuckst.
Und wird es ein Apfelbaum
Mitten in deinem Feld
Dann komm und hol dir die Äpfel
Von dem Baum, den du bestellt.

Söhnlein, kauf dir einen Strick
Und vergiß die Sorgen.
Was dir gestern war Geschick
Ist dir Zufall morgen.

Tausend Jahre fiel der Tau
Morgen bleibt er aus.
Sterne treten ungenau
In ein neues Haus.

Groß bleibt groß und klein bleibt klein
Soviel weiß ich noch.
Kleine treffen nicht mehr ein
Große vielleicht doch.

Auf dem gischtgemischten Schwall
Reite du vertraulich:
Höh'n sind herrlich überall
Und die Tiefen graulich.

DRITTES LIED DES GLÜCKSGOTTS

Als die Braut ihr Bier getrunken
Gingen wir hinaus. Der Hof lag nächtlich.
Hinterm Abtritt hat's gestunken
Doch die Wollust war beträchtlich.

Als wir wieder drinnen saßen
In der Menge, alt und jung
Sang ich: Unterm grünen Rasen
Ist zu wenig Abwechslung.

LIEBESUNTERRICHT

Aber, Mädchen, ich empfehle
Etwas Lockung im Gekreisch:
Fleischlich lieb ich mir die Seele
Und beseelt lieb ich das Fleisch.

Keuschheit kann nicht Wollust mindern
Hungrig wär ich gerne satt.
Mag's wenn Tugend einen Hintern
Und ein Hintern Tugend hat.

Seit der Gott den Schwan geritten
Wurd es manchem Mädchen bang
Hat sie es auch gern gelitten:
Er bestand auf Schwanensang.

SIEBENTES LIED DES GLÜCKSGOTTS

Freunde, wenn ihr euch mir verschreibt
Und das könnte sich lohnen
Wißt, daß ihr dann nicht geduldet bleibt
Mehr in den höhren Regionen!

Denn die Götter von Ruf und Stand
Haben auf alle Fälle
Mich kleinen dicken endgültig verbannt
In die Schweineställe.

Und noch kein Pfäfflein mit Selbstrespekt
Hat mich je seinen Kunden empfohlen
Wer sich nur einmal wollüstig streckt
Wird sofort zur Beichte befohlen.

Wer meiner Weine gedenkend schmatzt
Wer zum Bette ein Polster fordert
Wer an bestimmten Stellen sich kratzt
Wird aus der Stube der Guten beordert.

Wen ein gelungener Hintern entzückt
Was sind dem die frühesten Metten?
Wer sich so tief zum Irdischen bückt
Der ist schon nicht mehr zu retten.

Und ein Stück Fleisch und ein Dach überm Kopf
Ist der Mensch etwa dazu geboren?
Gutes Leben? Dem niedrigen Tropf
Wird vom Himmel Rache geschworen.

Schon ein Lächeln kann mißliebig sein
Ein Gelächter ist immer verdächtig!
Wer nicht nach Sternen langt, ist ein Schwein
Wer da lacht, der ist niederträchtig.

Ich bin der Gott der Niedrigkeit
Der Gaumen und der Hoden
Denn das Glück liegt nun einmal, tut mir leid
Ziemlich niedrig am Boden.

SIEBENTES LIED DES GLÜCKSGOTTS
(Variante)

Freunde, wenn ich die Würfel euch werf
Kommt es, daß ich schaudre
Denn der Schlechte braucht nur Nerv
Aber Glück braucht der Lautre.

Und, wie's so ist, bei meinem Beruf
Heißt es, sich beeilen
Streckt eure Hände aus: in einen Huf
Kann ich nichts austeilen.

Bei meinem trüglichen Augenlicht
Hab ich oft dem Falschen gespendet
Wein und Weißbrot und Fleischgericht
War an den Kerl verschwendet.

Racker mich ab, bis ich keuch und schwitz
Und kann ihn nicht glücklich machen
Sorg für den allergepfeffertsten Witz
Aber er kann nicht lachen.

Unter uns, ich nehm gern Partei
Für die unruhigen Geister
Schenk ihnen grinsend ein fauliges Ei
Und find dann meinen Meister.

Ach, ich liefre fürs Leben gern
Ein Schiff und nicht nur einen Hafen.
Freunde, duldet nicht nur keinen Herrn
Sondern auch keinen Sklaven.

Freunde, dann mach ich aus Mühsal euch Spaß
Und kleidsame Narben aus Wunden.
Ja, die Unverschämten, das
Sind meine liebsten Kunden.

Freunde, ich bin ein billiger Gott
Und es gibt so viel teure.
Opfert ihr ihnen die Traube vom Pott
Opfert ihr mir nur die Säure.

ELFTES LIED DES GLÜCKSGOTTS

Als die Frau schrie unter der Axt
Als der Mann am Holz schrie
War es auf meinen, des Glücksgotts Rat.

Seid Künstler, Sterbende!
Mit dem äschileischen Schrei
Glückt es vielleicht.

Neufassungen von Liedern aus der
»Dreigroschenoper«

DER NEUE KANONEN-SONG

1

Fritz war SA und Karl war Partei
Und Albert bekam doch den Posten.
Aber auf einmal war all dies vorbei
Und man fuhr nach dem Westen und Osten.
  Der Schmitt vom Rheine
  Braucht die Ukraine
  Und Krause braucht Paris.
  Wenn es nicht regnete
  Und man begegnete
  Nicht fremdem Militäre
  Dem oder jenem Heere
  Dann kriegte Meier aus Berlin
  Bulgarien gewiß.

2

Schmitt, dem wurde die Wüste zu heiß
Und das Nordkap zu kalt dem Krause.
Aber das Böse ist: keiner mehr weiß
Wie kommt man jetzt wieder nach Hause?
  Aus der Ukraine
  Zurück zum Rheine

Nach Ulm heim aus Algier?
Weil es stark regnete
Und man begegnete
Ganz fremdem Militäre
So manchem großen Heere
Der Irreführer weiß es nicht –
Er ist nicht mehr hier.

3

Schmitt kam nicht mehr heim und Deutschland war hin
Hat nach Leichen und Ratten gerochen.
Aber in dem zerstörten Berlin
Wird vom dritten Weltkrieg gesprochen.
    Köln liegt in Scherben
    Hamburg im Sterben
    Und Dresden liegt zerschellt.
    Doch wenn Amerika
    Sah diese Russen da –
    Vielleicht wenn die sich krachten?
    Dann gibt's ein neues Schlachten
    Und Krause, wieder im grauen Fell
    Kriegt doch noch die Welt!

DIE BALLADE VOM ANGENEHMEN
LEBEN DER HITLERSATRAPEN

1

Der selige Reichsmarschall, ein guter Schlächter
Erst sehn wir halb Europa ihn stibitzen.
Dann sehn wir vor Gericht ihn dafür schwitzen
Noch immer fetter da als seine Wächter.
Und auf die Frag, warum er es gemacht
Sagt uns der Mann, er tat's für Deutschlands Ehr
Als ob er davon fett geworden wär!
Ich möchte da das Huhn sehn, das nicht lacht!
Warum der Nazi war, ist kein Problem:
Nur wer im Wohlstand lebt, lebt angenehm.

2

Der lange Schacht, in dem eu'r Geld verschwunden
Mit dem selbst mir nicht lang genugen Kragen –
Hat dem Bankier man manchen Kranz gewunden
Hängt man den Bankrotteur nicht an den Schragen –
Er weiß, sein Auge wird nicht ausgehackt
Doch fragt ihr heut den eingestürzten Schacht
Warum er beim Bescheißen mitgemacht
Sagt er, der Ehrgeiz habe ihn gepackt.
Warum der mittat, ist doch kein Problem:
Nur wer im Wohlstand lebt, lebt angenehm.

Und der La-Keitel, der Ukrainebrenner
Der dem Gefreiten wild die Stiefel leckte
Weil der den Wehrmachtshunger in ihm weckte –
Wenn ihr den fragt, den Tank- und Kognakkenner
Was ihn getrieben, sagt er euch: die Pflicht!
Aus Pflichtgefühl vergoß er all das Blut
Beileibe nicht nur für ein Rittergut!
Das nimmt man, aber davon spricht man nicht.
Das ist's: man nimmt es. Und wer fragt schon: wem?
Nur wer im Wohlstand lebt, lebt angenehm.

4

Sie haben alle große Intentionen
Und sprechen nur von allerhöchster Warte
Und keiner je erwähnt die Speisekarte
Doch jeder ringt allnächtlich mit Dämonen.
Denn jeder war im Grund ein Lohengrin
Und hatte einiges vom Parzifal:
's ging nicht um Leningrad, 's ging um den Gral
Und nur Walhall ging unter, nicht Berlin.
Gelöst für sie war das Privatproblem:
Nur wer im Wohlstand lebt, lebt angenehm.

ZUSATZSTROPHEN ZUR
BALLADE VOM ANGENEHMEN LEBEN

Die Leute, die nur ihren Pflichten leben
Und ihren Sinn auf höhre Ziele richten
Gefühle, die man kennt aus den Gedichten
Die guten Leute treffen sehr daneben.
Da brechen sie mit Stolz ihr trockenes Brot
Ehrlich verdient: sie sind ganz schweißbedeckt!
Ach, über ihrem siebenten Gebot
Vergaßen sie, daß Fleisch viel besser schmeckt!
Ein Sichbescheiden nützt zwar, aber wem?
Nur wer im Wohlstand lebt, lebt angenehm!

Das ist gar nicht so schlecht, am Boden kleben
Und nur auf seinen niedern Vorteil schauen
Und dann ein frisches Bad und einen heben!
Und sich vor einem vollen Tisch aufbauen!
Ihr rümpft die Nase? das sei kein Programm?
Euch ist der Mensch erst Mensch, wenn er sich plagt!
Ich muß gestehn, daß mir das nicht behagt
Ich bin gottlob nicht von so edlem Stamm.
Mich redlich plagen? Es ist nicht an dem:
Nur wer im Wohlstand lebt, lebt angenehm!

NEUFASSUNG DER
BALLADE VOM ANGENEHMEN LEBEN

1

Da preist man uns das Leben freier Geister
Das lebt mit einem Buch und nichts im Magen
In einer Hütte, daran Ratten nagen.
Mir bleibe man vom Leib mit solchem Kleister.
Das simple Leben lebe, wer da mag!
Ich habe – unter uns – genug davon.
Kein Vögelchen von hier bis Babylon
Vertrüge solche Kost nur einen Tag.
Was hilft da Freiheit? Sie ist nicht bequem.
Nur wer im Wohlstand lebt, lebt angenehm.

2

Die Wahrheitssucher mit dem kühnen Wesen
Und ihrer Gier, die Haut zum Markt zu tragen
Die stets so frei sind und die Wahrheit sagen
Damit die Spießer etwas Kühnes lesen:
Wenn man sie sieht, wie das am Abend friert
Mit kalter Gattin stumm zu Bette geht
Und horcht, ob niemand klatscht und nicht versteht
Und trostlos in das Jahr 5000 stiert:
Jetzt frag ich Sie nur noch: Ist das beequem?
Nur wer im Wohlstand lebt, lebt angenehm.

3

Ich selber könnte mich durchaus begreifen
Wenn ich mich lieber groß und einsam sähe
Doch sah ich solche Leute aus der Nähe
Da sag ich mir: Das mußt du dir verkneifen.
Armut bringt außer Weisheit auch Verdruß
Und Kühnheit außer Ruhm auch bittre Müh'n.
Jetzt sahst du dich im Geiste weis' und kühn
Jetzt machst du mit der Größe aber Schluß.
Dann löst sich ganz von selbst das Glücksproblem:
Nur wer im Wohlstand lebt, lebt angenehm.

NEUFASSUNG DER BALLADE,
IN DER MACHEATH ABBITTE LEISTET

Ihr Menschenbrüder, die ihr auch gern lebt
Laßt euer Herz nicht gegen uns verhärten
Und lacht nicht, wenn man uns zum Galgen hebt
Ein dummes Lachen hinter euren Bärten.
Ach, ihr, die nicht fielt da, wo wir gefallen
Seid nicht erbost auf uns wie das Gericht:
Gesetzten Sinnes sind wir alle nicht –
Ihr Menschen, lasset allen Leichtsinn fallen!
Ihr Menschen, laßt euch uns zur Lehre sein
Und bittet Gott, er möge uns verzeihn.

Der Regen wäscht uns ab und wäscht uns rein
Und wäscht das Fleisch, das wir zu gern genährt.
Und die zuviel gesehn und mehr begehrt
Die Augen hacken uns jetzt Raben ein.
Wir haben wahrlich uns zu hoch verstiegen
Jetzt hängen wir hier wie aus Übermut
Zerpickt von einer gierigen Vögelbrut
Wie Pferdeäpfel, die am Wege liegen.
Ach Brüder, laßt euch uns zur Lehre sein
Ich bitte euch, uns freundlich zu verzeihn.

Die Kerle, die in Häuser brechen
Dieweil sie keine Bleibe kennen;
Die Lästermäuler, selbst die frechen
Die lieber schimpfen statt zu flennen;
Die Weiber, die den Brotlaib stehlen
Sie könnten eure Mütter sein!

's mag ihnen nur an Härte fehlen –
Ich bitt euch, ihnen zu verzeihn.

Habt da mehr Nachsicht mit den kleinen
Und weniger mit den großen Dieben
Die euch in Krieg und Schande trieben
Und betten euch auf blutigen Steinen.
Die euch gepreßt zu Mord und Raube
Und nunmehr winseln ihr »Vergieb!« –
Stopft ihnen 's Maul und mit dem Staube
Der von eur'n schönen Städten blieb!

Und die da reden vom Vergessen
Und die da reden vom Verzeihn –
All denen schlage man die Fressen
Mit schweren Eisenhämmern ein.

Verfolgt das kleine Unrecht nicht; in Bälde
Erfriert es schon von selbst, denn es ist kalt:
Bedenkt das Dunkel und die große Kälte
In diesem Tale, das von Jammer schallt.

Zieht gen die großen Räuber jetzt zu Felde
Und fällt sie allesamt und fällt sie bald:
Von ihnen rührt das Dunkel und die Kälte
Sie machen, daß dies Tal von Jammer schallt.

Zum Sechsten Band der »Gedichte«

Vom Sommer 1941 bis zum Herbst 1947 wohnte Brecht, von einigen längeren Aufenthalten in New York abgesehen, in Santa Monica, Kalifornien. Der sechste Band enthält Gedichte aus diesen Jahren. Wieder wurden einige in Zeitungen und Zeitschriften abgedruckt. Auch in die Auswahlbände »Hundert Gedichte« (Berlin 1951) und »Gedichte und Lieder« (Frankfurt 1956) wurde eine Anzahl von ihnen aufgenommen.

Am Anfang stehen die »Gedichte im Exil«. Schon den »Svendborger Gedichten« (London 1939) hatte eine von Brecht getroffene Auswahl »Gedichte im Exil« zugrunde gelegen. Und unter dem gleichen Titel stellte Brecht in den ersten amerikanischen Exiljahren noch dreimal eine kleine Gedichtauswahl zusammen. Von den maschinengeschriebenen Blättern der letzten (Dezember 1944) ließ Brecht einige photokopierte Heftchen anfertigen. Einem Freunde, dem er ein solches Heftchen mit Gedichten als Weihnachtsgruß schickte, schrieb er dazu: »Es macht mich etwas verlegen, daß ich sie Ihnen nicht im Druck geben kann, jedoch müssen wir ja mit diesem Rückfall ins frühe Mittelalter vorlieb nehmen.« – Die drei kleinen Sammlungen sind im vorliegenden Band zu einer zusammengezogen: die bereits in den »Svendborger Gedichten« und in der »Steffinischen Sammlung« (Band 4) enthaltenen Gedichte sind hier nicht noch einmal abgedruckt; Gedichte, die sich in den drei Sammlungen wiederholen, nur einmal.

Das Gedicht »Die Maske des Bösen« (»An meiner Wand«) nahm Brecht in die »Flüchtlingsgespräche« auf, die Gedichte »Der Kälbermarsch«, »Und was bekam des Soldaten Weib?« und »Deutsches Miserere« übernahm er in sein Stück »Schweyk im zweiten Weltkrieg«.

Das Gedicht »Die Literatur wird durchforscht werden« ist früher auch unter den Titeln »Wie künftige Zeiten unsere Schriftsteller beurteilen werden« und »Literaturgeschichte« veröffentlicht worden; in den Manuskripten findet sich außerdem der Titel: »Lied von den Richtern«. In diesem Zusammenhang sei bemerkt: in den »Gedichten« stehen die von Brecht zuletzt gewählten Titel; bei einigen Gedichten werden dazu diejenigen gedruckten Titel angegeben, unter denen sie ebenfalls bekannt geworden sind. Sofern dies in den ersten vier Bänden versäumt wurde, wird es bei einer Neuauflage nachgeholt.

Den Verlust der in dem Gedicht »Die Verlustliste« genannten Freunde, des Malers und Bühnenbauers Caspar Neher und des Filmregisseurs Karl Koch, betrauerte Brecht auf falsche Nachrichten hin.

Das Gedicht »Sah verjagt aus sieben Ländern« widmete Brecht Berthold Viertel, der 1942 einige Szenen aus »Furcht und Elend des Dritten Reiches« in New York inszenierte.

Das Manuskript des Gedichtes »Das Begräbnis des Schauspielers« trägt den Vermerk »Aus den Vorstellungen«.

»Garden in Progress« (Garten im Aufbau): gemeint ist der Garten des Schauspielers Charles Laughton, mit dem Brecht an der amerikanischen Fassung seines Stückes »Leben des Galilei« arbeitete und der in Beverly Hills, später auch in New York, den Galilei spielte.

Die »Kriegsfibel« besteht aus Photos, die Brecht aus Tageszeitungen und Zeitschriften ausgeschnitten hatte, und aus Vierzeilern, die er zu jedem dieser Photos schrieb; er nannte sie auch »Photogramme«. Im Druck erschien die »Kriegsfibel« erstmalig 1955 (Eulenspiegel-Verlag, Berlin).

»Das Manifest« ist Brechts Versifizierung des »Kommunistischen Manifests« von Marx und Engels, die ihn über viele Jahre beschäftigte. Er schrieb damals während des zweiten Weltkrieges über dieses Vorhaben: »Das Manifest ist als Pamphlet selbst ein Kunstwerk; jedoch scheint es mir möglich, die propagandistische Wirkung heute, hundert Jahre später und mit neuer bewaffneter Autorität versehen, durch ein Aufheben des pamphletischen Charakters zu erneuern.« Wir drucken hier die zweite der vielen verschiedenen Fassungen des »Manifests« ab, von denen keine ganz abgeschlossen ist, – nicht zuletzt der Wichtigkeit wegen, die Brecht dieser Arbeit beimaß. Von Brecht schriftlich zur Diskussion gestellte Korrekturen wurden berücksichtigt. – »Das Manifest« war als Teil eines Lehrgedichts mit dem Titel »Von der Natur der Menschen« (»Über die Unnatur der bürgerlichen Verhältnisse«) gedacht, das er in der Art des berühmten Lehrgedichts von Lukrez »Von der Natur der Dinge« geplant und angefangen hatte. Mit Ausnahme des »Manifests« ist das Lehrgedicht so fragmentarisch, daß wir die einzelnen bisher von uns festgestellten Bruchstücke der Abteilung »Fragmente« im achten Band zuordnen.

»Der anachronistische Zug« oder »Freiheit und Democracy«, 1947 in Kalifornien geschrieben, hat Shelleys Ballade »The Mask of Anarchy« (»Der Maskenzug der Anarchie«) zum Vorbild.

Der Film »Hangmen also Die« (»Auch Henker müssen sterben«) zeigt den Widerstand des tschechischen Volkes gegen die hitlerischen Unterdrücker. Brecht schrieb die Story mit Fritz Lang, der den Film inszenierte.

Mit dem »Ich werde warten auf dich« in dem Stück »Der kaukasische Kreidekreis« erinnert Brecht bewußt an das Lied »Wart auf mich!« des sowjetischen Schriftstellers und Dramatikers Simonow, das ihm sehr gefiel. – In Anlehnung an Texte von zwei slowakischen Volksliedern entstand das Lied »Zieh ins Feld ich traurig meiner Straßen«; in Anlehnung an alte estnische Volksepen, die Hella Wuolojoki unter dem Titel »Estnisches Kriegslied« übersetzt hatte, »Rat an den Liebsten, der in den Krieg zieht« und »Die Schlacht fing an im Morgengraun«. »Das Lied vom Chaos« geht auf ein altes ägyptisches Lied zurück.

Das Stück »The Duchess of Malfi« (»Die Herzogin von Malfi«) von John Webster bearbeitete Brecht für eine Aufführung in New York mit Elisabeth Bergner in der Titelrolle.

»Die Reisen des Glücksgotts« plante Brecht zunächst als Theaterstück, später als Operntext für Paul Dessau. Zwei der »Lieder des Glücksgotts« stammen aus früheren Jahren (»Siebentes Lied des Glücksgotts« und die dazugehörige Variante).

Als Brecht hörte, daß nach dem Krieg in Deutschland noch die Dreigroschenoper-Songs gesungen wurden und das Stück wieder

aufgeführt werden sollte, schrieb er »Der neue Kanonen-Song«
und »Die Ballade vom angenehmen Leben der Hitlersatrapen«.
Für die Münchener Aufführung 1949 schrieb er ebenfalls einige
Neufassungen, die wir in diesem Band mitabdrucken.

E. H.

INHALT

GEDICHTE IM EXIL

IN SAMMLUNGEN
NICHT ENTHALTENE GEDICHTE

Die mit einem Stern versehenen Titel stammen nicht von Brecht; sie sind für diese Ausgabe hinzugefügt worden.